BIONICLE®

La menace de l'ombre

BIONICLE®

TROUVE LE POUVOIR,
VIS LA LÉGENDE.

La légende prend vie dans ces livres passionnants de la collection BIONICLE® :

1. Le mystère de Metru Nui
2. L'épreuve du feu
3. Sous la surface des ténèbres
4. Les légendes de Metru Nui
5. Le voyage de la peur
6. Le labyrinthe des ombres
7. Le piège des Visorak
8. Le défi des Hordika
9. La menace de l'ombre

BIONICLE®

La menace de l'ombre

Greg Farshtey

Texte français d'Hélène Pilotto

Pour Jackina,
mon amour et ma femme chérie

Catalogage avant publication de Bibliothèque
et Archives Canada

Farshtey, Greg
La menace de l'ombre / Greg Farshtey; texte
français d'Hélène Pilotto.

(BIONICLE)
Traduction de : Web of Shadows.
Niveau d'intérêt selon l'âge: Pour les 9-12 ans.
ISBN 0-439-94144-X

I. Pilotto, Hélène II. Titre.
III. Collection : Farshtey, Greg. BIONICLE.

PZ23.F28Me 2006 j813'.54
C2006-902892-3

Édition publiée par les Éditions Scholastic,
604, rue King Ouest, Toronto (Ontario) M5V 1E1.

5 4 3 2 1 Imprimé au Canada 06 07 08 09

La cité de Metru Nui

INTRODUCTION

Turaga Vakama disposa les pierres avec soin dans la sablière connue sous le nom de Cercle d'Amaja. Depuis des siècles, les Turaga de Mata Nui utilisaient ce lieu pour raconter des légendes du passé ou pour prédire l'avenir, mais jamais aucun de ces sages n'avait eu à y relater une histoire aussi sinistre que celle que Vakama s'apprêtait à raconter.

Il regarda, à tour de rôle, les Toa Nuva réunis devant lui pour entendre son récit Puis, son regard s'arrêta sur Takanuva, le Toa de la lumière, qui semblait très mal à l'aise. Hahli, la chroniqueuse officielle des Matoran, était assise à côté de Takanuva. Vakama comprit qu'il avait perdu assez de temps. Le moment était venu de commencer.

— Chers amis ici rassemblés, écoutez encore notre légende des BIONICLE, commença-t-il en plaçant les pierres aux endroits prévus pour le début du récit. En des temps immémoriaux, le Grand esprit choisit six Matoran et les transforma en Toa puissants. Ces Toa Metru – Nokama, Matau, Whenua, Onewa, Nuju et moi-même – prirent tous les risques pour vaincre leur ennemi juré : Makuta.

Vakama plaça en cercle les six pierres représentant les Toa.

— Nous réussîmes. Makuta fut capturé et emprisonné dans une cellule de protodermis impénétrable, scellée par la force combinée des pouvoirs élémentaires des Toa. Une fois Makuta vaincu, nous partîmes vers une nouvelle terre, la merveilleuse île de Mata Nui, un endroit où, pensions-nous, tous les Matoran pourraient vivre en paix un jour. Tout semblait aller pour le mieux. Pourtant, il y eut un prix à payer pour une telle victoire…

Le Turaga du feu lança la pierre noire, symbole de Makuta, au centre du cercle, laissant son ombre retomber sur les autres pierres.

— Nous avions laissé derrière nous un grand nombre de Matoran, tous sous l'emprise du pouvoir maléfique de Makuta. Nous, les Toa, unis par une promesse solennelle, savions que nous retournerions là-bas un jour pour sauver ceux que nous avions été forcés d'abandonner.

Vakama posa son regard sur les Toa Nuva. Même s'il était aujourd'hui un Turaga à mille lieux des événements dont il faisait le récit, dans son esprit, il était encore à Metru Nui.

— Ce jour vint bien trop vite, dit-il d'une voix qui rappelait le Toa qu'il avait été. Le voyage ne fut pas de tout repos pour les Toa Metru, car Makuta avait pris soin de laisser les Matoran endormis sous bonne garde.

Gali Nuva réprima un frisson en écoutant Vakama poursuivre.

— Leur abri était gardé par des créatures de la nuit, des hordes de l'ombre qui pouvaient corrompre et tromper n'importe quel voyageur, même celui au cœur le plus pur. Leur seul nom suffisait à engendrer la peur : les Visorak.

Les Toa Nuva ne pouvaient plus détacher leurs yeux de la sablière. La pierre de Makuta avait heurté le roc sous le sable et créé des fissures qui s'étendaient maintenant en forme de toile d'araignée, menaçant de faire basculer les pierres des Toa. En voyant la scène, Vakama fit la grimace.

— Mais avant de poursuivre mon récit là où je l'avais laissé, je vais vous rappeler comment nous avons été transformés en Toa Hordika. Soyez patients : en vous rappelant cette partie de notre histoire, je veux vous en faire connaître les moindres détails et vous présenter un portrait plus vivant des ennemis que nous avons dû affronter et des créatures qui nous ont aidés à les vaincre.

Toa Onewa vit que le sol se rapprochait beaucoup trop vite. Instinctivement, il relâcha son corps et se prépara au choc. Il heurta durement le sol boueux du rivage de Le-Metru, glissant sur toute la longueur de la plage lisse avant de s'arrêter.

— Hum, ça empeste par ici, grommela-t-il.

Soudain, quelque chose surgit de la boue et une silhouette se découpa dans la pâle lueur de la lune. Cette apparition subite fit sursauter Onewa. Ce fut seulement lorsque la chose se débarrassa de la couche d'algues et de boue qui recouvrait son masque qu'Onewa comprit qu'il s'agissait de Nuju, le Toa de la glace.

— Il semble qu'il y ait eu une erreur avec notre véhicule, dit-il. Une erreur de « pilotage ».

La tête de Toa Matau émergea alors des décombres se trouvant entre Onewa et Nuju. C'était lui qui était aux commandes de leur embarcation, le *Lhikan II*, avant qu'ils essuient une tempête et viennent s'échouer au large de Le-Metru.

— Hé, j'obéissais aux ordres, dit-il d'un ton agacé. Et c'est Vakama qui les donnait.

— Cesse un peu de critiquer, Matau.

Les trois Toa se retournèrent et virent Nokama sortir des vagues. Dans son élément naturel, elle était un personnage encore plus impressionnant.

— Malgré la manière peu gracieuse dont nous avons atterri ici, ajouta-t-elle d'une voix douce.

— Ouais, répliqua Matau toujours irrité. Enfin… peu importe.

Puis, se rendant compte qu'il était toujours coincé, il ajouta :

— Euh, quelqu'un pourrait-il me sortir d'ici?

Avant que les autres Toa puissent réagir, un marteau-piqueur dispersa les décombres entourant Matau. Une main noire et blindée saisit le Toa de l'air et le libéra. Matau regarda le masque de Whenua et dit :

— Merci.

— C'est mon boulot, répondit le Toa de la terre en haussant les épaules.

Les cinq Toa se rassemblèrent, encore un peu secoués par leur expérience. Aucun d'entre eux ne mentionna l'absence de Vakama, craignant peut-être qu'il ne soit pas seulement absent, mais mort. La réponse aux questions qu'ils taisaient survint quand sa voix explosa derrière eux.

— Allons-nous rester ici toute la nuit à ne rien faire, demanda le Toa du feu, ou allons-nous plutôt secourir les Matoran?

Matau avançait à pas lents dans Le-Metru et, bien qu'entouré de ses compagnons Toa, il se sentait horriblement seul. Les bruits des Matoran se consacrant à leur travail et à leurs loisirs avaient disparu, remplacés par les cris d'étranges bêtes Rahi. Les endroits que Matau avait l'habitude de fréquenter alors qu'il était un Matoran offraient le spectacle d'immeubles ravagés par le tremblement de terre. Les Toa ne se sentaient plus chez eux dans cette cité : ils avaient plutôt l'impression de nager en plein cauchemar.

Ils avaient déjà pu apercevoir certains des nouveaux habitants de Metru Nui, de vilaines créatures aux allures d'araignées qui semblaient traquer tout ce qui bougeait. Matau faisait de son mieux pour garder le moral en avançant avec ses compagnons dans la cité enveloppée de brumes et de toiles.

— C'est quoi tout ce brouillard? demanda-t-il pour la quatrième fois en quatre minutes. Ça ne dit rien qui vaille à mon esprit de héros Toa.

Tout à coup, il s'arrêta net. Au loin, on pouvait maintenant apercevoir la silhouette de Metru Nui à travers le brouillard. La majeure partie des lumières de la cité était éteinte. Des toiles translucides brillaient au clair de lune et se balançaient au gré d'une bonne brise. L'instant d'après, un troupeau de grosses bêtes traversa la route des Toa au galop avant de disparaître dans l'obscurité.

— Oh! s'écria Matau. C'était quoi, ça?

— Il doit y avoir une brèche dans les Archives, répondit Whenua.

Au ton de sa voix, on devinait qu'il s'agissait d'une très mauvaise nouvelle.

— Que gardiez-vous là-dedans, au juste? demanda Onewa.

Bien sûr, il connaissait la réponse, mais par tradition, les Po-Matoran aimaient prétendre soit que les Archives n'existaient pas, soit qu'elles avaient trop peu d'importance pour qu'on s'en préoccupe.

— Tout, répondit Whenua, trop inquiet pour être agacé par l'attitude de son ami. Des trucs dangereux pour la plupart.

— Des Rahi, ajouta Vakama comme si les autres avaient oublié les Archives et ce qu'elles contenaient.

Whenua se mit à réciter les premières lignes du

texte de la visite guidée qu'il avait animée des centaines de fois alors qu'il était un Matoran.

— Les Archives d'Onu-Metru abritent un spécimen de chaque bête Rahi connue…

Son exposé fut interrompu par un grognement provenant d'un peu plus loin dans l'ombre.

— Enfin, c'était le cas autrefois, conclut-il.

Une bourrasque de vent balaya le brouillard et révéla, pendant un instant, une entrée secondaire des Archives. La porte était grande ouverte, et le bâtiment, entièrement recouvert de toiles. Puis le brouillard revint et masqua de nouveau cette scène désolante.

— Et les toiles? demanda Vakama.

— Ce sont celles des Visorak. De bien vilaines créatures, répondit Whenua.

Il savait pourquoi Vakama posait la question. Le Toa Metru de la terre n'avait révélé que tout récemment avoir déjà vu, dans les Archives, une inscription à propos des Visorak, mais il s'en était souvenu trop tard pour empêcher les Toa d'être coincés par ces créatures. Ils avaient échappé de justesse à ce piège et Vakama lui en voulait encore de ne pas les avoir prévenus plus tôt.

— Venant de toi, ça… enfin, c'est mauvais signe, dit Onewa.

— Je n'ai jamais entendu parler de telles créatures, nota Nokama.

— La plupart d'entre nous non plus, expliqua Whenua en lançant un coup d'œil à Vakama. Elles ne sont pas du coin… à l'origine.

— Metru Nui accueille vraiment n'importe qui, marmonna Matau.

Nokama observa ses amis. Elle ne se souvenait pas de les avoir vus si incertains de la conduite à adopter. À part Vakama, bien sûr, qui n'avait qu'une idée en tête depuis leur retour dans la cité : poursuivre la mission.

— La tournure des événements est aussi inattendue que malvenue, reconnut-elle, mais au fond, qu'est-ce que ça change?

— Rien du tout, trancha Vakama. Nous nous rendons au Colisée. Nous sauvons les Matoran. Nous repartons.

— Ou nous nous faisons pulvériser, objecta Whenua.

Pendant un moment, personne ne parla. Puis Nuju dit calmement :

— C'est une possibilité.

— Nous avons affronté Makuta et nous l'avons vaincu. Je doute fort que quelques bêtes hargneuses nous donnent du fil à retordre, dit Vakama. Tout le monde est d'accord?

Les autres réfléchirent à ses paroles et hochèrent la tête un par un. Après tout, avaient-ils le choix? S'en aller reviendrait à abandonner les Matoran à la merci des Visorak, et ils doutaient tous qu'il y ait quelque bonté dans le cœur de ces bestioles.

— Très bien, conclut Vakama. Suivez-moi.

Le Toa du feu n'eut le temps de faire qu'un seul pas avant d'être frappé en plein dos par un disque d'énergie surgi de l'ombre à grande vitesse. Aussitôt, un engourdissement envahit tous ses membres et le figea sur place. Cinq autres disques furent lancés en rafale et vinrent frapper chacun des Toa Metru à tour de rôle.

— Impossible… de bouger, dit Vakama.

— Impossible… de ne pas tomber, lâcha Whenua qui, ne pouvant pas garder son équilibre, culbuta en avant.

— Ça va faire mal, dit Matau.

Le Toa de la terre piqua du nez et entraîna ses amis dans sa chute. Ils s'abattirent en tas sur le sol, Vakama en dessous.

— Est-ce que ça va pour tout le monde? demanda ce dernier.

— Ça va paralysé, répondit Nuju, mais pas blessé.

— Nous sommes tous derrière toi, vaillant chef, dit Matau d'un ton moqueur. Littéralement derrière toi.

— Faire de l'esprit ne nous aidera pas à sortir d'ici, Matau, sermonna Nokama.

— Non, mais penser-discuter avant de se précipiter tête première dans un piège, ça aurait pu nous aider.

— Si tu as quelque chose à dire, dis-le, grogna Vakama.

— Oublie ça, répliqua Matau. J'ai des problèmes plus importants pour le moment.

Des bruits parvenaient aux oreilles des Toa; des grattements et des pas précipités les firent frissonner. On aurait dit une légion en marche, s'en venant cerner les héros impuissants.

— Qu'est-ce que c'est? murmura Onewa.

— Nous ne tarderons pas à le savoir, répondit Nuju.

Des silhouettes imprécises à cause de la brume s'approchaient de plus en plus d'eux. Elles émergèrent bientôt du brouillard. Les Keelerak, la variété verte des araignées Visorak, rampaient dans la lumière en faisant grincer leurs mandibules. Des lanceurs munis de disques d'énergie étaient fixés sur leur dos. Tout était répugnant en elles, comme si elles dégageaient une sorte de poison psychique qui éveillait de sombres émotions chez quiconque les regardait.

Incapable de tourner la tête pour les voir correctement, Matau dit :

— Laissez-moi deviner… les Visorak?

— Exact, répondit Whenua. Mot qui signifie « fléau empoisonné » dans leur langue.

— Quoi? Elles ont aussi une langue? s'étonna Onewa. Tout ce que je vois, ce sont des dents!

Voyant que les Toa ne constituaient plus une menace, les Keelerak s'avancèrent encore plus près. Nokama eut envie de crier tellement leur présence la remplissait d'effroi. Elle se contenta toutefois de baisser les yeux sur le Toa du feu.

— Que faisons-nous, Vakama? demanda-t-elle.

Vakama n'avait pas de réponse. Tout ce qui lui venait à l'esprit, c'était qu'il avait plongé son équipe dans une situation dont ils n'avaient aucun moyen de se tirer. Son échec signifiait non seulement qu'ils allaient périr, mais que tous les Matoran emprisonnés sous le Colisée périraient aussi.

— Je l'ignore, répondit doucement le Toa du feu. Je l'ignore.

Une Visorak solitaire se dirigeait prestement vers le Colisée. Elle s'efforçait de ne pas accélérer l'allure, car cela aurait pu être interprété comme un signe de faiblesse par les autres membres de la horde. Elle fit donc de son mieux pour avoir l'air déterminé, sans toutefois céder à la panique.

Elle franchit rapidement la porte d'entrée et traversa un imposant couloir bordé de sphères argentés. Les Visorak les avaient découvertes dans les voûtes souterraines du Colisée, peu de temps après avoir pris possession des lieux. Au début, les araignées s'étaient questionnées à leur sujet, mais Sidorak, le roi des hordes, avait ordonné d'en prendre grand soin.

Sidorak. En évoquant ce nom, la créature se rappela la raison pour laquelle elle était tellement pressée. S'il fallait que Sidorak apprenne la nouvelle par une autre qu'elle, il n'hésiterait sûrement pas à éliminer sa malheureuse messagère pour la punir de son retard. Pire encore, il pourrait décider de se débarrasser de la

Visorak fautive en l'offrant à Roodaka en guise de divertissement.

La Visorak entra dans la salle du trône. Sidorak était assis sur le siège ayant appartenu à Makuta, le maître des ténèbres et le mentor du roi de la horde. Il regarda la créature s'approcher avec, dans les yeux, un mélange de cruauté et d'ennui.

— J'espère qu'il n'y a rien de grave, dit-il, vu l'heure tardive à laquelle tu arrives.

La messagère Visorak s'inclina et commença à faire grincer ses mandibules, expliquant dans sa langue d'origine qu'elle avait une nouvelle à lui communiquer.

Sidorak se pencha vers elle et dit :

— Elle a intérêt à être bonne, cette nouvelle.

L'araignée prit une grande inspiration et émit un seul son, très aigu. Cela lui suffit pour obtenir toute l'attention du roi de la horde.

— Les Toa? répéta Sidorak. Vraiment? Ils sont donc revenus chercher les Matoran... qui m'appartiennent dorénavant. Je présume que si tu m'annonces cela sans trembler de tous tes membres, c'est que les Toa ont déjà été capturés?

La Visorak fit un signe de tête en direction de l'immense fenêtre qui occupait tout un mur de la pièce. Sidorak se leva pour contempler la cité qu'il dirigeait à présent. Ses yeux se fixèrent aussitôt sur le nouvel élément qui avait été ajouté au décor : six cocons, chacun contenant un Toa Metru, étaient suspendus par des fils de toile, bien haut au-dessus des rues de Metru Nui.

— Merci, dit Sidorak. Tuez-les.

La Visorak approuva de la tête et fit demi-tour, se réjouissant autant d'exécuter l'ordre de son roi que d'avoir une bonne excuse pour quitter la salle du trône. Sidorak était réputé pour ses sautes d'humeur imprévisibles; il pouvait tout aussi bien récompenser une Visorak un instant et l'éliminer l'instant d'après. La créature avait presque atteint la sortie quand une nouvelle voix s'éleva et la fit s'arrêter net.

— Pourquoi faudrait-il que ce soit si simple, Sidorak?

La messagère Visorak ne prit pas la peine de se retourner. Elle savait très bien à qui appartenait cette voix. Chaque araignée de la horde le savait et chacune avait de bonnes raisons de craindre Roodaka. Mais aux yeux de Sidorak, Roodaka évoquait la confiance et l'attirance.

— Ma reine, dit-il avec respect.

— Non, je ne suis pas ta reine, répliqua Roodaka. Pas encore.

— Bien sûr. Une simple question de formalités, dit Sidorak. Tu voulais me dire quelque chose?

— Oh, simplement qu'un chef est jugé selon la qualité de ses ennemis. C'est ce que l'Histoire nous enseigne.

Il ne fallut qu'un moment à Sidorak pour comprendre à qui elle faisait allusion.

— Les Toa?

— De remarquables adversaires, mon roi, dit Roodaka en désignant l'endroit où étaient suspendus les six Toa, impuissants, que surveillaient les Visorak juchées sur tous les toits avoisinants. Dignes de ton autorité et, de ce fait, dignes d'une mort dont on se souviendra éternellement.

Sidorak réfléchit. Maintenant qu'il s'était installé sur le trône d'ébène, il y avait pris goût. Bien sûr, le trône ne lui appartenait pas vraiment : c'était le trône légitime de Makuta, après tout. Mais voilà, le maître des ténèbres était absent et lui, Sidorak, était présent. Peut-être un roi des Visorak pouvait-il aspirer à plus de pouvoir s'il savait bonifier sa propre légende correctement? Après tout, était-il écrit quelque part que les ombres maléfiques ne pouvaient servir que Makuta?

Il sourit.

— J'imagine que je pourrais rendre l'événement plus… plus digne d'une légende, reconnut-il.

— J'ai toujours admiré la justesse de ton jugement, siffla Roodaka avec approbation. Assure-toi seulement que la méthode choisie laisse des preuves. Pour la postérité…

— Des preuves?

Roodaka lui répondit d'une voix aussi froide que la glace qui recouvrait les Tours du savoir de Ko-Metru :

— Apporte-moi leurs corps.

Tout en haut du Colisée, les Visorak se disputaient les meilleures places. Après des jours passés à capturer des Rahi et rien d'autre, voilà qu'il y avait enfin un spectacle « T et S » (transformer et supprimer) qui valait la peine d'être regardé. Les Toa étaient des prises rares, la plupart d'entre eux étant trop rusés pour tomber dans un piège tendu par les Visorak ou alors assez forts pour s'en sortir. En dépit de leurs nombreuses victoires, ces Toa Metru étaient, heureusement et de toute évidence, plutôt novices dans leur rôle, et donc sujets à commettre des erreurs.

Une Boggarak, une parmi tant d'autres, tenta de s'approprier une bonne place. Quand sa voisine

Oohnorak refusa de bouger, elle lui donna une poussée qui précipita l'araignée dans le vide.

D'où il était, Toa Whenua avait une vue imprenable sur la scène. S'il avait pu, il aurait volontiers changé sa place pour celle d'une Visorak. Il était cependant improbable qu'un seul membre de la horde désire être suspendu dans un cocon se balançant de façon précaire au bout d'un fil de toile, à des kilomètres au-dessus de la cité, comme le faisaient Whenua et ses compagnons Toa en ce moment. Whenua suivit la Visorak des yeux et la vit tomber dans une ouverture étroite percée dans la toile.

— C'est encourageant, marmonna-t-il.

Matau lança un coup d'œil vers l'endroit où Vakama était suspendu, tout enveloppé de fils de toile.

— Eh bien, cracheur-de-feu, on pourra dire que tu nous auras montré la ville, dit-il en haussant le ton. On pourra aussi te tenir responsable de notre capture, de notre empoisonnement et... de notre imminente chute-dégringolade, car je ne pense pas qu'on nous ait montés jusqu'ici seulement pour admirer le paysage!

Onewa s'apprêtait à intervenir quand il s'aperçut que les fils qui reliaient son cocon à la toile d'araignée commençaient à lâcher. Lorsqu'il parla enfin, ce fut d'une voix étouffée par les brins qui lui recouvraient entièrement la bouche.

— Hummmfff!

— Il est d'accord, dit Matau.

— Ce n'est pas la faute de Vakama! rétorqua vivement Nokama de son cocon.

Puis, quand quatre paires d'yeux lui lancèrent des regards sceptiques, elle ajouta :

— Enfin, pas complètement.

— Laisse, Nokama, dit Vakama. J'ai essayé de vous guider de mon mieux. J'aurais aimé être meilleur, mais si je ne dois retenir qu'une seule chose de tout ce que nous avons vécu ensemble, c'est que je suis ce que je suis. Je ne peux pas changer, même si parfois, je le voudrais de tout mon cœur.

Soudain, Vakama fut saisi d'un spasme. L'instant d'après, un bras à l'allure bizarre transperça le devant de son cocon. C'était un étrange mélange d'un puissant bras Toa et d'autre chose, quelque chose qui horrifia les autres héros de Metru Nui.

De leur balcon du Colisée, Sidorak et Roodaka observaient les débuts de la transformation de Vakama. Sourire aux lèvres, la vice-reine de la horde glissa sa main sur l'épaule de Sidorak pour lui signifier son appui au cauchemar qui commençait.

Puis l'étrange métamorphose gagna les autres Toa.

Dans leurs cocons, leurs corps étaient saisis de spasmes et de secousses au fur et à mesure que le venin des Visorak affectait leurs muscles et leur esprit. Leurs masques se déformaient et se collaient à leur visage, leurs membres se développaient et devenaient plus puissants, pendant que leur esprit s'emplissait d'un flot de rage brute.

— Je n'aime pas ça! cria Matau.

Nuju jeta un coup d'œil en contrebas. La majeure partie de son cocon s'était déchirée sous l'effet des mutations de son corps et il constatait que la même chose se produisait avec ceux de ses compagnons. Ils allaient tous être précipités dans le vide, vers une mort certaine. Ce n'était plus qu'une question de secondes.

— Tu vas encore moins aimer la suite, Matau, répliqua-t-il.

Nokama regarda Vakama. Comme il avait été le premier à subir la transformation, son cocon était le plus endommagé. Elle cria :

— Vakama!

Le Toa du feu planta son regard dans celui de son amie jusqu'à ce que le dernier brin se déchire et tombe.

— Je suis désolé de vous abandonner, dit-il.

Puis il tomba, sous les acclamations des Visorak.

Whenua sentit que lui aussi lâchait prise. Bientôt, les fils de toile ne supporteraient plus son nouveau poids. Il songea à une parole profonde à prononcer avant de disparaître dans le vide, mais la seule chose qui lui vint à l'esprit fut :

— Euh… Au revoir.

Matau vit Whenua, Onewa et Nuju plonger vers le sol. Il avait peine à croire qu'il vivait le dernier moment de sa vie. Il s'adressa à Nokama :

— Nokama, je veux que… Non, j'ai besoin que tu saches que j'ai toujours…

Mais il tomba à son tour, avant même d'avoir pu finir sa phrase. Nokama ferma les yeux, préférant ne pas voir sa propre chute à la suite de ses frères Toa. Puis elle tomba et sentit le vent se précipiter à sa rencontre, devinant que, tout en bas, le sol s'empresserait de faire de même.

Vakama se dit qu'il devait être devenu fou. Alors qu'il chutait sur des centaines de mètres en direction d'un sol dur et compact, il se préparait malgré tout à amortir le choc.

Comme si cela allait changer quelque chose, songea-t-il. *Même une armure Toa ne peut résister à une chute d'une telle hauteur…* et *je ne suis même pas certain que ce soit une armure Toa que je porte en ce moment.*

Du coin de l'œil, il aperçut une esquisse de mouvement. Il crut d'abord qu'il s'agissait de l'un des Toa qui le dépassait dans sa chute vers le pavé. Puis il sentit un impact sur son côté, comme si quelque chose venait de le happer en plein vol. La force de l'impact lui coupa le souffle et il perdit conscience.

Loin au-dessus, Nokama vit la scène.

— Qu'est-ce que?… se demanda-t-elle avant d'être happée à son tour, échappant ainsi de peu à un écrasement fatal.

Un par un, tous les Toa furent attrapés, chacun par un mystérieux sauveteur. Matau fut le dernier à l'être, mais, au premier signe de mouvement, il s'écria :

— Doucement! Attention de ne pas abîmer-égratigner l'armure!

Vakama s'éveilla. Le sol bougeait sous lui, mais il n'était pas en train de marcher. Non, il était plutôt transporté par quelqu'un… ou par quelque chose. Il n'arrivait pas à voir de qui il s'agissait ni où ils allaient.

— Que… Que s'est-il passé? demanda-t-il.

Son sauveteur ne répondit pas, se contentant de s'éloigner le plus possible du Colisée. Vakama se demanda s'il n'était pas tombé dans la cuve de protodermis en fusion, puis dans la fournaise. Et si son nouvel « ami » était un quelconque allié au service des Visorak, qui l'emmenait vers un sort encore pire que la mort?

— Réponds-moi. Je suis un Toa! s'écria Vakama.

L'étrange personnage qui le transportait ricana doucement et répondit :

— Pas tout à fait.

Quand Matau s'éveilla, il était étendu face contre terre dans un caniveau. Son sauveteur l'avait abandonné là sans plus de cérémonie et avait disparu. Le Toa leva la tête et jeta un regard aux alentours, remarquant qu'il faisait nuit et qu'il se trouvait quelque part parmi les ruines de Ga-Metru.

— Ohé! appela-t-il. Nokama? Whenua? Nuju? Onewa?

Aucune réponse ne lui parvint des ténèbres. Matau haussa les épaules, puis, avec une certaine réticence, il ajouta :

— Vakama?

Comme personne ne lui répondait, Toa Matau entreprit de nettoyer ses yeux des impuretés qui les recouvraient. La première chose qu'il aperçut, une fois qu'il eut retrouvé une vue normale, fut son reflet dans une flaque de protodermis liquide près du caniveau. Le visage qu'il y vit n'était cependant pas celui d'un Toa. C'était celui d'une bête monstrueuse.

— Non! s'écria Matau.

Il s'empressa de tâter son visage, cherchant désespérément la preuve que ce qu'il avait vu n'était pas réel. Mais ce l'était bien. Il sentait les contours grossiers de ses nouveaux traits là où s'étalait autrefois la surface métallique, lisse et rigide du masque Kanohi.

— Ce n'est pas moi, dit-il à voix basse.

Puis il sentit la colère le gagner. Il était en colère d'avoir une telle apparence, il était en colère contre Makuta qui avait détruit sa cité, contre Vakama qui les avait conduits dans ce piège. Il donna un grand coup de poing dans la flaque, ce qui en brouilla la surface et déforma son reflet.

Comme si je pouvais être plus déformé encore, pensa-t-il.

Quand la surface de la flaque redevint lisse, il y vit d'autres silhouettes animales qui approchaient. C'étaient les autres Toa.

— Allons, Matau, tout va bien, dit Nokama.

Matau leva les yeux vers elle, puis vers les autres. Ils n'étaient plus des Toa et ils n'étaient pas non plus des Matoran ni des Turaga. Ils étaient des bêtes… des monstres… des trucs sortis tout droit d'une histoire d'épouvante de Matoran.

— Bien? répéta-t-il avec humeur. Tu trouves ça bien?

— Nous sommes tous vivants, répondit Nokama. Nous allons nous en sortir. Ensemble.

— C'est ce que font les amis, ajouta Whenua sur un ton aimable que Matau ne lui connaissait pas.

Matau se leva et se tourna vers Vakama, venant se placer juste sous le nez du Toa de Ta-Metru.

— Je ne t'entends pas en dire autant, tête roussie. Qu'est-ce qui se passe? Tu es trop occupé à ébaucher-dresser un autre plan de maître?

Vakama recula et répliqua :

— Je ne fais plus de plans.

— C'est bien la première chose encourageante-heureuse que j'entends depuis que je suis devenu une horreur, répliqua Matau.

Nuju s'interposa.

— Nous ferions peut-être mieux d'oublier notre apparence pour le moment et d'utiliser notre énergie à comprendre pourquoi et comment nous sommes devenus… ce que nous sommes.

Nokama approuva :

— Plus vite nous le ferons, plus vite nous pourrons sauver les Matoran.

Matau se tourna vers eux, sceptique.

— Comment allons-nous sauver les autres alors que nous avons nous-mêmes besoin de secours?

Personne ne répondit. C'est alors qu'une voix marquée par les années et la sagesse brisa le silence. Elle provenait de tout près, mais son propriétaire demeurait invisible.

— Si vous faites preuve de sagesse… si vous désirez vraiment redevenir ceux que vous étiez avant…

Six étranges personnages sortirent de l'ombre. Chacun d'eux avait une tête semblable à celle d'un Rahkshi et marchait un peu courbé, à la manière des bêtes Rahi. Celui qui se tenait à l'avant était rouge. Il examina les Toa un à un et dit :

— … alors, vous allez m'écouter.

Roodaka se tenait dans un coin sombre de la salle du cadran solaire. Les grands instruments à mesurer le temps s'étaient arrêtés net lors de la double éclipse de Metru Nui, ce moment que Makuta avait tant attendu et qu'il avait choisi pour accomplir sa destinée… Ce moment était venu, puis s'en était allé. Les Toa avaient fait échouer son plan, l'avaient vaincu, et il reposait maintenant emprisonné sous une épaisse couche de protodermis scellé.

La vice-reine des Visorak examina la pierre qu'elle tenait dans la paume de sa main. Elle était grossière et noire, semblable à une obsidienne. Roodaka l'avait extraite de la surface externe de la prison de Makuta. Une si petite pierre lui avait coûté de grands efforts, car seul un Toa pouvait percer aisément la cellule qui enveloppait le maître des ténèbres.

— Repose-toi, mon Makuta, susurra-t-elle à la pierre. Dors et sache que le moment de ton réveil approche. J'y travaille.

Elle sourit, une expression qui aurait fait fuir même la plus brave des Visorak.

— Les Toa sont revenus, comme tu l'avais prédit. Bientôt, on m'apportera leurs corps brisés, afin que je puisse les vider de leurs pouvoirs élémentaires. Grâce à ces pouvoirs, je pourrai faire sauter ce misérable sceau qui te retient prisonnier et qui nous sépare!

Roodaka déposa délicatement et amoureusement la pierre de Makuta sous sa cuirasse. La pierre se mit à battre comme une lumière de cœur.

— Et alors, nous n'aurons plus besoin de toute cette mascarade, murmura-t-elle. Ensemble, toi et moi, nous…

Elle s'arrêta net. Son visage reprit un air aussi dur que la pierre. Elle demanda d'un ton glacial :

— Qu'y a-t-il?

Une Visorak sortit des ténèbres avec l'air de n'avoir

qu'une envie : s'enfuir en courant. Mais si elle ne livrait pas son message, Roodaka traquerait la malheureuse créature jusqu'à ce que… Elle frissonna à cette pensée et commença aussitôt son rapport.

Roodaka écouta attentivement. Elle interrompit bientôt la messagère.

— Les Toa? Pourquoi parles-tu d'eux comme s'ils étaient toujours vivants?

La Visorak avait la bouche sèche. Elle jeta un regard aux alentours, repérant l'emplacement des sorties. Puis elle répondit à la question d'une voix à peine audible.

Roodaka réagit sur-le-champ. Elle tourna sur elle-même et frappa un pilier avec rage, le réduisant aussitôt en poussière. La Visorak recula, de peur de voir Roodaka passer sa colère sur son dos. Mais la vice-reine n'avait rien à faire d'une pauvre araignée. Non, elle réservait plutôt sa rage pour un groupe d'individus bien spécifiques dont elle cracha le nom comme s'il avait été du poison : « Les Rahaga! »

« Keetongu »

Le Rahaga Norik venait de prononcer ce nom et il s'attendait à une réaction quelconque, mais les regards interrogateurs des Toa lui indiquaient qu'aucun d'eux n'avait entendu ce nom auparavant.

Onewa crut bon de prétendre qu'il avait compris.

— Ah, la clé du Tondu, lâcha-t-il d'un air détaché.

Norik lança un regard désapprobateur au Toa Hordika de la pierre, puis poursuivit.

— Keetongu est un Rahi des plus honorables. Il est réputé pour sa profonde connaissance des venins, sans compter le fait qu'il constitue notre seul espoir de vaincre la horde de Visorak. Si vous voulez redevenir les Toa que vous avez déjà été, vous devez partir à la recherche de Keetongu.

— Mais... que sommes-nous donc à présent? demanda Nokama.

— Les cocons de Visorak vous ont injecté le venin des Hordika. Il coule maintenant en vous, répondit Norik d'un ton sinistre. S'il n'est pas neutralisé, il prendra racine... et vous resterez des Hordika. Pour toujours.

Nuju fronça les sourcils. Depuis l'apparition des étrangers, il n'avait cessé de ressasser différentes théories dans son esprit. Il fixa Norik et lui demanda calmement :

— Comme toi?

— Je suis un Rahaga. Je m'appelle Norik.

Puis le petit être à l'apparence des plus étranges gesticula en direction de ses compagnons et les présenta à tour de rôle.

— Et voici Gaaki, Bomonga, Kualus, Pouks et Iruini.

Les Toa restèrent silencieux. Enfin, Matau prit la parole et demanda d'un ton embarrassé :

— Et alors? Comment ça se passe pour vous?

— Il y a de bons moments, répondit Norik. Celui-ci n'en est pas un.

Nokama secoua la tête. Après tout, quelle importance avait l'apparence de ces « Rahaga » ou leur origine? L'essentiel à ses yeux, c'étaient leurs connaissances.

— Pouvez-vous nous mener à ce Keetongu? demanda-t-elle.

Le Rahaga nommé Iruini s'esclaffa. Norik se tourna vers son compagnon et lui lança un regard sévère.

— Iruini!

Le regard de Nokama alla de l'un à l'autre.

— Je ne comprends pas, dit-elle.

— Ce qu'Iruini suggère de façon si maladroite, c'est que ce sera, disons… ardu, répondit Norik. Nous, les Rahaga, sommes nous-mêmes venus à Metru Nui à la recherche de Keetongu, et il y en a parmi nous qui, euh… doutent sérieusement de son existence.

— Et toi? demanda Nuju en plissant les yeux. Y crois-tu?

Norik se redressa et affirma d'un ton solennel :

— J'y crois.

— Et nous devrions tous en faire autant, approuva Nokama en hochant la tête.

— Une minute, ma sœur, intervint Matau. Ne devrions-nous pas en discuter-parler tous ensemble? Tu sais, comme le fait une équipe?

Il se tourna vers Vakama qui se tenait à l'écart.

— Qu'en penses-tu, fabricant-de-masques?

Le Toa Hordika du feu continua à fixer les flammes. Le ton de sa voix indiquait que son esprit était à mille lieues de là.

— Je dis que nous sommes revenus à Metru Nui pour sauver les Matoran. Pas pour chasser des Rahi.

— Et tu connais un moyen d'accomplir cela? insista Norik. Peut-être en utilisant tes nouveaux pouvoirs Hordika? Des pouvoirs que tu n'as même pas encore appris à utiliser.

— Je ne sais pas.

— Tu ne sais pas ou tu ne veux pas nous inclure dans tes plans? dit Norik d'un ton provocant.

Vakama se détourna du feu pour fixer le Rahaga d'un regard dur. Puis il se leva et s'éloigna, ajoutant seulement avant de disparaître dans l'obscurité :

— Ni l'un ni l'autre.

— Vakama! cria Nokama, toute choquée par le comportement de son ami.

Norik s'élança à la suite du Toa Hordika troublé.

— Je vais lui parler.

— Et nous alors? demanda Matau.

Norik lui adressa un sourire empreint de gravité et dit :

— Préparez-vous. Nous avons une légende à prouver.

Il fallut un certain temps à Norik pour calmer Vakama et pour qu'ils en viennent tous les deux à un compromis. De retour auprès des Toa Hordika, ils suggérèrent que la tentative de sauvetage des Matoran soit traitée en priorité par rapport à la recherche de Keetongu. Les six Toa furent d'accord pour dire que leurs inquiétudes personnelles de devenir à jamais des Hordika étaient moins importantes que le secours à porter aux victimes endormies de Makuta.

Tous étaient convaincus qu'ils allaient réussir à sauver les Matoran; du moins, aucun ne se risqua à émettre un doute à ce sujet. Mais le problème de l'évacuation des Matoran et de leur retour sur l'île, lui, demeurait entier. Le *Lhikan II* avait fait naufrage et, même s'il avait été en bon état, il n'était pas assez grand pour transporter près de mille Matoran. Finalement, Matau eut l'idée de construire des dirigeables avec des matériaux trouvés aux alentours, afin d'utiliser la voie des airs pour ramener les Matoran en lieu sûr.

Ce projet s'avéra plus facile à dire qu'à faire, la cité grouillant de Visorak et de Rahi déchaînés. Après un certain nombre d'expériences malheureuses, les Toa Metru réussirent enfin à rassembler tous les matériaux dont ils avaient besoin. Ils s'attaquèrent alors à la construction des vaisseaux, puis trouvèrent un endroit pour les cacher. Il faudrait fuir la cité sans perdre une minute, une fois les Matoran sauvés.

Malgré cette belle avancée, les Toa Hordika se retrouvaient plus divisés et plus troublés que jamais. Ils apprirent rapidement à contrôler les lanceurs Rhotuka dont ils étaient maintenant dotés, mais parvinrent moins bien à maîtriser leur côté Rahi. Trop souvent, ils frôlèrent la catastrophe en laissant la colère dominer leur esprit. Vakama, en particulier, avait été d'humeur massacrante pendant des jours, au point d'éviter complètement le reste du groupe. Il avait passé la majeure partie de son temps à errer parmi les décombres, s'éloignant davantage du camp chaque jour, comme s'il luttait contre la chaîne invisible qui le liait encore à Nokama et au reste du groupe. Il contemplait les ruines d'une cité jadis si fière en réfléchissant à la nature des Toa, à ce qu'ils avaient été et à ce qu'ils étaient devenus.

Il était tellement perdu dans ses pensées qu'il en oubliait parfois combien Metru Nui avait changé. Les Archives ayant été détruites par le tremblement de terre, tous les Rahi qui y avaient été pensionnaires autrefois erraient maintenant en liberté dans la cité. Ce détail lui fut rappelé d'une façon quasi fatale pendant l'une de ses promenades, lorsqu'un chat sauvage Muaka bondit des décombres pour le provoquer. La bête rugit en direction de Vakama, les muscles tendus et les griffes sorties, prêtes à déchiqueter le Toa Hordika.

Vakama réagit par pur instinct. Il s'accroupit, sortit ses griffes de feu et grogna comme un Rahi. Il n'y avait aucune stratégie derrière ses gestes, cela n'était qu'une simple démonstration de force à la manière des bêtes. Sans qu'il le veuille, un disque Rhotuka se forma dans le lanceur qui faisait maintenant partie de son anatomie.

Le Muaka recula d'un pas. La créature devant lui ressemblait aux êtres-à-deux-pattes qui capturaient les Rahi il y a longtemps, mais elle ne réagissait pas comme eux. Elle se comportait comme une bête, une bête redoutable, soit dit en passant. Le Muaka décida qu'il devait bien y avoir une proie plus facile que celle-là dans les environs. Il fit demi-tour et disparut dans l'obscurité.

Vakama s'efforça de retrouver son calme. Au prix d'un énorme effort, il repoussa le Hordika en lui et laissa son côté rationnel prendre le dessus.

— Qu'est-ce que?... commença-t-il.

— Il ne te voulait aucun mal.

Le Toa Hordika du feu se retourna et vit Norik qui approchait. Le Rahaga avait suivi Vakama en silence depuis son départ du camp. Bientôt, les sens Hordika de Vakama seraient assez développés pour l'alerter dès qu'il serait suivi, rendant impossible toute poursuite.

— Je n'en suis pas si sûr, répliqua Vakama.

Norik regarda dans la direction où le Muaka était parti.

— Il avait seulement peur. Les Muaka sont d'une nature solitaire et ils sont très mal à l'aise en présence des autres, dit-il.

Et en désignant Vakama, il ajouta :

— Il y a un peu d'eux en toi, à présent.

À ce moment-là, le Rahaga remarqua que le disque Rhotuka de Vakama était toujours actif et prêt à être lancé.

— Sois prudent avec ça, dit-il calmement. C'est un outil très puissant.

Vakama n'avait même pas réalisé que le disque de feu était encore là et il souhaita maintenant le faire disparaître. Il éprouva néanmoins une certaine satisfaction à penser qu'il pouvait intimider le Rahaga de la même façon que le Muaka.

— J'ai bien l'intention de découvrir ça, vieux sage, répondit-il avec plus qu'une pointe de sarcasme dans la voix.

Puis il fit demi-tour et s'éloigna, jusqu'à ce que la voix de Norik le fasse s'arrêter.

— Que fais-tu de tes amis?

Vakama fit volte-face en grognant :

— Mes *anciens* amis. S'ils croient que c'est facile d'être un chef, ils n'ont qu'à se charger eux-mêmes du rôle.

— Tu as raison, dit Norik en approuvant d'un signe de la tête. Mais ils n'y parviendront pas sans toi. Ni toi sans eux.

— Comment le sais-tu?

— Je ne le sais pas, reconnut Norik. Mais le Grand esprit, lui, le sait. *Unité, devoir et destinée*. Si vous, les Toa, vous devez secourir les Matoran, alors vous devez le faire ensemble. Et tu ne peux rien changer à cela.

Vakama fixa longuement le Rahaga, tout en méditant sur ses paroles. Puis il tourna les talons et s'enfonça dans les ténèbres.

— C'est ce qu'on va voir, lança-t-il avant de disparaître.

Norik le regarda s'en aller.

Oui, Vakama, c'est ce qu'on va voir, se dit-il. *Et j'ai l'impression que, durant ces jours sombres, il va falloir que nous te surveillions de près.*

Nokama était assise seule au centre du campement de fortune des Toa, attendant le retour de Norik et de Vakama. Elle comprenait pourquoi le Toa Hordika du feu était aussi en colère : ils avaient tous été extrêmement durs avec lui. Il faut dire que son attitude arrogante les avait presque incités à adopter de tels comportements. N'empêche, elle avait beau le comprendre, Nokama n'était pas moins fâchée contre lui. Après tout, son hostilité ne facilitait en rien le but premier de leur quête qui consistait à secourir les Matoran.

Elle entendit quelqu'un approcher.

— Vakama?

Ce n'était pas le Toa Hordika, mais seulement Norik. Nokama fut soulagée de le voir, mais ne put s'empêcher d'être déçue en constatant l'absence de Vakama.

— Norik, c'est bon de te voir de retour.

— Vakama est très préoccupé, déclara le Rahaga.

Nous devons lui laisser le temps de trouver sa destinée.

— Et s'il en choisit une particulièrement mauvaise? demanda Onewa.

— À présent, nous devrions commencer à rechercher Keetongu, répliqua Norik en ignorant la question.

Nokama et Onewa échangèrent des regards, se demandant pourquoi le Rahaga avait éludé le problème de Vakama.

De son côté, Matau était ravi de s'attaquer à un nouveau sujet.

— Oui! Keetongu! Retrouver notre bonne vieille et si jolie apparence. Mettons-nous au travail.

— Mais par où commencer? demanda Nuju.

Il était encore sceptique : comment une créature telle que ce Keetongu aurait-elle pu être dans la cité sans que personne s'en rende compte?

— Dans un endroit que vous connaissez bien, répondit Norik.

Il s'éloigna, suivi des autres Rahaga. Les Toa se regardèrent et décidèrent que le départ précipité de Norik était sûrement un signal pour les inviter à se joindre à lui. Ils se levèrent et partirent à la suite du Rahaga, se demandant où il les mènerait.

* * *

Un peu plus loin, Vakama continuait à errer sans but. Il repassait sans cesse dans sa tête sa conversation avec Norik.

L'unité... qu'est-ce que ça veut dire? Les autres Toa faisaient-ils preuve d'unité lorsqu'ils critiquaient sans arrêt mes décisions? D'accord, j'ai fait des erreurs... comme si Onewa n'en avait jamais fait, lui. Et Matau? C'est le roi des gaffeurs.

J'ai fait ce que Lhikan attendait de moi. J'ai donné la priorité au secours des Matoran, sans tenir compte de notre sécurité personnelle ou de quoi que ce soit d'autre. Simplement... ça n'a pas fonctionné. Et puis, notre échec... MON échec n'a rien de surprenant quand on considère la révélation qui nous a été faite entre-temps : ce n'est pas le Grand esprit, mais Makuta qui a inspiré à Lhikan le choix de nous six comme futurs Toa.

— Je peux y arriver seul, dit-il à voix haute en s'imaginant les regards ahuris des autres quand ils verraient qu'il avait réussi à sauver les Matoran sans leur aide. Je vais leur montrer, à tous, ce dont je suis capable!

Vakama escalada une pile de détritus et se retrouva au bord d'un gouffre béant. Les toboggans qui se trouvaient ici jadis avaient été détruits depuis longtemps. À présent, il ne restait plus qu'une vue sur la vaste cité de Metru Nui, enveloppée de toiles. Le Toa Hordika contempla sa ville natale et fut frappé une fois de plus par ses dimensions imposantes. Il se renfrogna. Comment avait-il pu croire un instant qu'il pourrait défier seul une cité remplie de Visorak? Quel bénéfice les Matoran retireraient-ils d'une telle tentative?

— Qu'est-ce que j'imagine? marmonna-t-il. Norik a peut-être raison. Peut-être bien que je ne peux pas le faire sans les autres. Peut-être même que je ne *veux* pas le faire sans les autres.

Il fut tiré de ses pensées par un disque Rhotuka qui lui frôla la tête. Vakama bondit, roula sur lui-même et se releva pour découvrir qu'il était face à une Boggarak, l'espèce bleue des Visorak qu'on retrouvait communément à Ga-Metru. Gaaki avait dit que, sur terre, les disques Boggarak avaient le pouvoir de déshydrater complètement leur cible et de la réduire en poussière.

— Merci de l'avertissement, dit-il en se préparant à esquiver un nouveau tir.

La Boggarak projeta un deuxième disque. Vakama l'évita facilement. Le Toa Hordika activa l'un de ses disques de feu en déclarant :

— C'est bon. Je vois que tu n'arrives pas à viser

juste. Observe-moi bien et retiens la leçon.

Vakama lança son disque. Juste avant que la roue d'énergie frappe la Boggarak, elle fut heurtée par un autre disque et déviée de sa trajectoire. Le Toa Hordika se retourna et vit trois autres Boggarak qui approchaient. Avec le gouffre derrière lui et quatre Visorak devant lui, il était coincé. Comme tous les Rahi, il détestait être coincé; son côté Hordika prit le dessus et lui fit pousser un puissant rugissement.

Les Visorak l'ignorèrent. Elles avaient l'habitude des sons menaçants que poussaient les Rahi juste avant que le piège se referme sur eux. Cela faisait partie des plaisirs de la chasse. Leur seul regret était que la poursuite se soit terminée si rapidement. Heureusement, il restait cinq autres Toa Hordika à attraper une fois qu'elles en auraient fini avec Vakama.

Ces cinq Toa Hordika se tenaient devant le Grand temple, à Ga-Metru, en compagnie des six Rahaga. En dépit du cataclysme qui s'était abattu sur la cité, le temple n'avait pas été détruit et il s'élevait toujours aussi fièrement, comme un symbole de l'existence du Grand esprit Mata Nui, même si celui-ci était à présent endormi.

— Ici? demanda Matau, incrédule. Je suis certain

que ce lieu aurait été d'un grand secours aux Toa que nous étions, mais à présent...

— Nous ne réussirons jamais à redevenir comme avant si tu continues à parler comme tu le fais, rétorqua Onewa.

— Tu as raison. Je suis désolé. Je ne me reconnais plus, répondit Matau sèchement. Oh oui, c'est vrai : je suis devenu une sorte de monstre Rahi!

Norik fusilla du regard les deux Toa et dit :

— Quand vous aurez fini tous les deux, nous entrerons dans le temple.

Les cinq Toa Hordika eurent un moment d'hésitation. Nokama, qui était déjà revenue au Grand temple depuis leur transformation, se souvint combien il lui avait été difficile de pénétrer dans le bâtiment en tant que Toa « impure ». Voilà que les autres ressentaient exactement la même chose. Même si, comme le prétendait Norik, leur seul espoir de redevenir des Toa Metru se trouvait à l'intérieur du temple, cela ne leur semblait pas décent d'y entrer. Ils restaient immobiles, sans qu'aucun d'eux ne se décide à faire le premier pas.

Sommes-nous rendus si loin déjà que le Grand temple nous rejette? se demanda Whenua. *Et si c'est le cas, cela veut-il dire que la bataille est déjà perdue pour nous?*

* * *

Toa Hordika Vakama s'attendait à se réveiller dans un cocon ou dans une cage… dans l'éventualité où il se réveillerait, bien sûr. Quand les Boggarak l'avaient paralysé, il était tombé et avait heurté le sol juste assez rudement pour s'évanouir. À présent qu'il regardait autour de lui, il se demandait s'il n'était pas encore inconscient et en train de rêver.

Il était seul dans une pièce qui lui était inconnue. On avait attaché ses poignets à l'aide de solides fils de toile de Visorak et des liens semblables le retenaient au sol. Il tira sur ses liens, mais ceux-ci résistèrent, même sous la pression de sa force Hordika accrue.

Ses pensées se bousculaient.

Coincé. Piégé. Une fois de plus. Je déteste être piégé! Je suis un Toa… le Toa du feu… Je suis… Je suis… un Hordika!

Un hurlement déchira la nuit, un son primal, empli de rage et de désespoir. Vakama se demanda un moment quel genre de Rahi pouvait pousser un cri pareil avant de réaliser avec stupeur que ce cri était sorti de sa propre bouche.

— Qu'est-ce qui m'arrive?

Une créature de haute taille entra dans la pièce. Elle se déplaçait sans bruit et avec grâce, comme si elle était faite d'ombres. Son visage et son corps étaient aussi noirs que la nuit, mais ses yeux étincelaient avec le même éclat que les puits à feu de Ta-Metru. Vakama ne l'avait jamais vue, mais en se basant sur la description qu'en avait faite Norik, il comprit à qui il avait affaire.

— Tu es en train de... te transformer, ronronna Roodaka.

— Oui, mais en quoi?

La vice-reine des Visorak s'arrêta devant son prisonnier.

— En un ami... ou en un ennemi. C'est à toi de choisir. Voilà pourquoi je t'ai invité ici.

Vakama tira encore sur ses liens.

— Quelle invitation!

Roodaka sourit.

— Alors peut-être que celle-ci te plaira davantage. Viens avec moi. J'ai une... proposition à te faire.

Les sens Rahi de Vakama étaient en état d'alerte, lui criant que le danger était proche. Il choisit de les ignorer.

— Et si je ne veux pas l'entendre? demanda-t-il.

Roodaka étendit un bras et passa son doigt sur les traits déformés du Toa Hordika.

— Sois raisonnable, Vakama.

Sur ce, elle fit demi-tour et s'éloigna. Puis, comme si elle venait subitement de se souvenir qu'il était ligoté, elle agita la main. Les liens qui entouraient Vakama tombèrent au sol et se changèrent en poussière.

— Quel mal y a-t-il à écouter? demanda-t-elle d'une voix aussi douce et aussi froide qu'une brise hivernale.

Roodaka et Vakama se tenaient sur le balcon du Colisée surplombant les ruines de Ta-Metru. Le Toa se demandait encore pourquoi il avait accepté de la suivre jusqu'ici. Peut-être était-ce la curiosité… le désir de mieux connaître son ennemie… ou peut-être était-ce simplement la certitude qu'elle ne l'aurait pas libéré s'il y avait la moindre chance qu'il s'évade. Peut-être encore était-il véritablement intéressé par ce qu'elle avait à lui dire?

Non, non, se dit-il pour se rassurer. *C'est impossible.*

La vice-reine jeta un regard aux alentours pour s'assurer qu'ils étaient bien seuls. Sa voix devint un murmure conspirateur :

— Le poids des secrets est bien lourd à porter, dit-elle, mais Sidorak ne doit pas savoir que nous nous sommes parlé.

— Sidorak?

— Le roi des Visorak, répondit-elle sans faire aucun effort pour masquer son mépris.

— Il ne sait pas que j'ai été capturé?

Vakama n'était pas certain de croire ce qu'il venait d'entendre. Norik lui avait parlé de l'habileté de Roodaka pour la trahison et le mensonge. Mais pourquoi ferait-elle semblant de détester son roi?

— Pas encore, répondit-elle sèchement.

Vakama haussa les épaules.

— Un vrai chef, quoi!

— Je partage ton opinion.

Vakama écarquilla les yeux. C'était une chose de manquer de respect à son roi, mais c'en était une autre d'afficher sa déloyauté aussi ouvertement. Que mijotait donc cette créature? Malgré lui, il était intrigué par la méchanceté pure et le grave danger qui émanaient de cette Roodaka.

Il regarda à gauche et à droite. Des Boggarak se tapissaient dans l'ombre.

— Tu ne crains pas qu'elles aillent lui répéter tes paroles?

— Elles sont loyales envers moi, répliqua Roodaka.

Vakama faillit éclater de rire.

— Ah oui? Comme tu l'es envers Sidorak?

— Oui, répliqua la vice-reine d'un ton dur. Elles m'obéissent parce que je suis forte. Elles me craignent et, de ce fait, elles n'osent pas contester mon autorité. C'est cela, diriger, Vakama. C'est ainsi que les autres

Toa devraient te traiter.

Elle s'approcha un peu plus, ses mots l'enveloppant comme des tentacules.

— Peut-être alors ne diraient-ils pas des choses aussi horribles...

Vakama lui lança un regard furieux. Elle pouvait lire dans ses yeux les questions qu'il n'osait pas poser.

Comment sait-elle tout cela? Et que sait-elle d'autre encore?

— La horde des Visorak est fort nombreuse, Vakama, et compte le double d'oreilles, répondit-elle.

Près d'eux, les Boggarak émirent un son qui sembla être un rire pour les créatures de cette espèce.

— Je fais confiance à mes compagnons Toa... commença Vakama.

Roodaka le coupa aussitôt :

— À quoi bon? Pour qu'ils te retiennent? Ils ne méritent pas un chef de ta trempe... et c'est la raison pour laquelle je t'ai fait venir ici.

Vakama contempla Metru Nui plongée dans la nuit. Il reconnut la silhouette familière des fournaises et des forges, celles qui n'avaient pas beaucoup souffert du tremblement de terre.

— Ta-Metru, dit-il d'une voix triste. C'était tout mon univers quand j'étais un Matoran. Cela signifiait tout pour moi.

Il se tourna vers Roodaka pour la regarder.

— Cela signifie encore tout pour moi.

— Ce peut être encore ton univers, Vakama, et gouverné comme tu l'entends. Tout ce que tu as à faire, c'est de diriger ceux qui vont t'obéir correctement.

Puis, en se penchant encore plus près de lui, elle susurra :

— Prends la tête de la horde des Visorak!

Norik avait parcouru la moitié du chemin menant au Grand temple quand il s'aperçut que les Toa Hordika ne l'avaient pas suivi. Il se retourna et les vit debout, toujours à quelques mètres de l'entrée, mal à l'aise.

— Quelque chose ne va pas? demanda-t-il.

Nokama regarda ses compagnons. Ayant déjà vécu ce qu'ils ressentaient en ce moment, elle décida de parler en leur nom.

— Nous ferions mieux d'attendre ici. Le Grand temple est un endroit sacré pour les Toa. Étant donné les circonstances… je ne crois pas que cela serait une bonne chose pour nous d'y entrer.

Norik soupesa ses paroles pendant un moment,

puis approuva de la tête.

— Je comprends. Cependant, comme on risque de remarquer notre présence ici, je vous demanderais de faire en sorte que nous ayons le temps nécessaire pour exécuter l'opération qui doit absolument être menée à bonne fin.

— Bien sûr, répondit Nokama.

Elle fit demi-tour et se dirigea vers le pont qui reliait le Grand temple à Metru Nui, suivie des autres. Seul Matau resta derrière.

— Attendez! lança-t-il à ses compagnons. Ne devrions-nous pas en parler-discuter avant de…

— Non! répondirent les quatre Toa d'une seule voix.

Défait, Matau haussa les épaules et courut rejoindre ses amis. Pas question pour lui de rester seul au temple.

Je serai mieux avec ma bande… euh, mon équipe, se corrigea-t-il. *Ça grouille de dangers par ici, à présent. Ils peuvent surgir de partout… même de là où on s'y attend le moins.*

— Je… Je ne sais pas.

Une partie de Vakama avait peine à croire qu'il puisse considérer l'offre de Roodaka. Il était un Toa, après tout! C'était Lhikan lui-même qui lui avait confié ce pouvoir! Comment pouvait-il penser, ne serait-ce qu'un instant, prendre la tête de la horde des Visorak?

Mais une autre voix, plus forte encore, se fit entendre dans son esprit.

Je ne suis pas un Toa. Plus maintenant. De toute façon, j'étais un raté quand je portais ce fardeau. Voyons les choses en face : comment six Toa Hordika et six affreux Rahaga seraient-ils capables de vaincre des centaines de Visorak et de délivrer les Matoran? Combien périront lors de cette opération? Combien de Matoran ne verront jamais le soleil briller sur l'île là-haut?

Vakama tenta de chasser ces pensées, mais elles revinrent aussitôt envahir son esprit.

Si j'accepte son offre et que j'assume le pouvoir qu'on me confie, je pourrai ordonner qu'on libère les Matoran! Je pourrai convaincre Roodaka de laisser les Toa Hordika s'en aller avec eux et les guider vers un lieu sûr. Et si, pour cela, je dois rester à Metru Nui… eh bien, je resterai. Personne ne s'en plaindra. Je suis sûr de cela.

Roodaka mit un terme à ses rêveries.

— Je comprends ta réticence. Tu as sûrement besoin de preuves.

Elle s'adressa aux gardes Boggarak mis à son

service personnel et leur désigna la balustrade du balcon ainsi que l'obscurité qui régnait derrière.

— Jetez-vous en bas, ordonna-t-elle.

Les Visorak obéirent sans dire un mot et sans hésiter un seul instant. Une à une, elles plongèrent dans le vide, sous le regard horrifié de Vakama. Il se précipita sur le balcon.

Le Toa Hordika du feu scruta l'espace sous la balustrade, s'attendant à ne voir rien d'autre que l'obscurité la plus totale. À sa grande surprise, il aperçut les Boggarak, saines et sauves, affalées sur une corniche située environ trois mètres plus bas.

— J'ignorais qu'il y avait une corniche, dit-il, rassuré.

— Elles l'ignoraient aussi, dit Roodaka en souriant.

Elle avança d'un pas vers lui, ajoutant :

— L'obéissance. C'est la première des nombreuses leçons que je peux te donner.

— Et c'est le genre de choses que ton « roi » permettrait?

— Il y a moyen d'y arriver.

C'est à ce moment précis que Vakama prit sa décision. Ce n'était pas le genre de décision que les autres Toa ou que ces vieux fous de Rahaga seraient capables de comprendre. Il le savait. Mais en fin de compte, espéra-t-il, cette décision assurerait leur sécurité et le libérerait, lui, de l'ombre de Toa Lhikan. Il n'essaierait plus de remplir un rôle pour lequel il n'était pas fait. En revanche, il serait un chef d'une autre espèce.

— Je t'écoute, dit-il calmement.

Roodaka laissa transparaître une note de triomphe dans sa voix.

— Six moyens, Vakama... Il y a six moyens.

Rahaga Gaaki travaillait fiévreusement. Elle traduisait une vieille inscription écrite dans un dialecte Matoran qu'elle ne maîtrisait pas parfaitement. Elle aurait souhaité pouvoir utiliser le Masque de la traduction de Toa Nokama, mais elle était privée d'un tel pouvoir depuis trop longtemps déjà. Elle ne pouvait se fier qu'à sa propre expérience et à son intelligence.

Un bruit léger la détourna un instant de son travail. Elle se retourna pour y voir de plus près et aperçut alors Norik qui entrait dans la salle du Grand temple.

— Est-ce que ça va, Gaaki? demanda-t-il.

— Norik, j'ai... j'ai entendu un bruit.

— C'était probablement moi qui arrivais, dit-il. Les années nous donnent autant de poids que de sagesse.

Gaaki aurait bien aimé se sentir réconfortée par

ses paroles, mais, d'une certaine façon, elle en était incapable. Elle savait que le bruit qu'elle avait entendu ne pouvait pas provenir de ce lieu.

— Non, dit-elle. C'était une créature.

— Une Visorak?

Elle secoua la tête, mais ne dit rien.

— Gaaki, qu'as-tu entendu? demanda-t-il en prenant conscience de la profondeur de son malaise.

— C'est ça le problème, répondit-elle d'un air embêté. Je peux reconnaître toutes les créatures de ce monde, qu'elles marchent, rampent ou volent, et ce, juste à les voir, les entendre ou les sentir. Mais pas celle-ci.

Norik était inquiet. Sur terre comme dans l'eau, Gaaki était très habile à la chasse. Elle et les autres Rahaga connaissaient le monde des Rahi mieux que personne. C'est d'ailleurs ce qui leur avait permis de survivre. Aussi, pour qu'elle admette être déconcertée, il fallait que cette créature mystérieuse soit…

Non. Par Mata Nui, c'est impossible, pensa-t-il.

Il tendit une main réconfortante vers Gaaki en faisant de son mieux pour dissimuler ses craintes.

— Je suis sûr que ce n'est rien. Tu déploies tellement d'énergie à traduire cette inscription que ton imagination te joue des tours.

— C'est vrai que j'ai travaillé plutôt fort, reconnut-elle.

— Rassemble tes compagnons et sortez tous d'ici, dit-il. Allez aux nouvelles des Toa.

— Et toi, que vas-tu faire?

— Je vous suis, mentit Norik. Va retrouver les Toa.

Gaaki fit demi-tour et grimpa les marches d'un escalier en colimaçon qui menait à la sortie du temple. Norik attendit qu'elle se soit suffisamment éloignée pour retourner son attention sur ce qui semblait être une pièce vide. Mais il savait à quel point les apparences sont parfois trompeuses. Des créatures qui ressemblaient à d'horribles monstres pouvaient s'avérer nobles et avoir bon cœur, alors que d'autres qui s'affichaient comme des héros pouvaient se révéler être les pires criminels. Une bête Rahi se cachait toujours sous le mince vernis de la civilisation recouvrant chaque être, une bête qui ne demandait qu'à se montrer. La moindre fissure dans ce « vernis » et voilà qu'elle apparaissait au grand jour. Devenir un Hordika, c'était comme vivre avec un gouffre à la place d'une fissure.

— Montre-toi! ordonna-t-il.

Derrière le Rahaga, une silhouette passa rapidement d'une ombre à l'autre. Même si Norik l'avait vue, il aurait eu bien du mal à l'identifier, car elle ressemblait davantage à un Rahi qu'à autre chose.

— Je doute que tu me reconnaisses, dit le sombre personnage.

Norik se retourna brusquement. C'était la voix de Vakama! Mais le Toa Hordika demeurait invisible. Le Rahaga loua le Grand esprit et se félicita d'avoir pensé à éloigner Gaaki du danger.

La voix de Vakama s'éleva à nouveau, venant cette fois d'un autre coin de la pièce.

— J'ai une mauvaise nouvelle à t'annoncer. Gaaki ne trouvera pas ses frères Rahaga là-haut.

— Que leur as-tu fait? demanda Norik sèchement.

Pendant un instant, il se demanda si Vakama était allé jusqu'à éliminer les autres Rahaga. S'il avait fait une chose pareille… Norik se promit de le lui faire payer cher, et tant pis si les pouvoirs du Toa étaient supérieurs aux siens.

La réponse du Toa Hordika vint d'un autre coin de la pièce.

— Rien, dit-il. Pour le moment.

Norik regarda à gauche et à droite dans l'espoir d'apercevoir le Toa, mais Vakama avait bien appris à tirer profit des ombres.

— Dans ce cas, il n'est pas trop tard, Vakama. Tu

n'as pas à faire cela...

Il y eut un long silence. Puis une voix qui ressemblait bien à celle du héros de Metru Nui déclara :

— Donne-moi une seule bonne raison de ne pas le faire.

— Les autres Toa. Ils ont besoin de toi pour les diriger.

Dès qu'il eut prononcé ces mots, Norik sut qu'il avait dit une bêtise.

— C'est ça, il faut toujours se soucier du bien-être des autres! rugit Vakama. Elle avait raison à propos d'eux, Norik. Et à propos de moi aussi.

— À qui as-tu parlé, Vakama? Qui t'a mis ces idées en tête? demanda Norik, même s'il était déjà sûr de connaître la réponse.

— Tu le sauras bientôt, ricana Vakama.

— Je ne comprends pas.

— Tu n'as pas besoin de comprendre le message, Norik, dit Vakama d'un ton rageur. Tu n'as qu'à le livrer.

— Et quel est ce message?

Le Toa Hordika répondit par un grognement tel qu'on aurait dit qu'il se déchirait de l'intérieur. Norik leva les yeux juste à temps pour voir Vakama sauter sur lui, totalement sous l'emprise de son côté Hordika.

Puis Norik ne vit plus rien.

Le jour se levait. Nokama sentit la pâle lueur du soleil chauffer son armure et s'éveilla. Pendant quelques secondes, elle se demanda ce qui était arrivé à sa cité. Où étaient tous les Matoran? Pourquoi les toboggans ne fonctionnaient-ils pas?

Puis un flot de souvenirs envahit sa mémoire. Dume qui n'était pas Dume, mais plutôt Makuta déguisé. Un millier de Matoran plongés dans le sommeil et enfermés dans des sphères. L'obscurité qui triomphait des deux soleils. Le sol qui tremblait…

Elle secoua la tête pour chasser ces images et se rappela qu'il y avait des problèmes plus importants à régler.

Si nous ne parvenons pas à renverser notre transformation, tout ce qui s'est passé avant n'aura plus l'air que d'une jolie partie d'akilini.

Nokama se leva et se dirigea vers l'entrée du Grand temple. Derrière cette arche imposante se trouvait le pont qui menait à l'édifice le plus vénéré de tout Metru Nui. Aussi incroyable que cela puisse paraître, il se tenait toujours debout, identique au souvenir qu'elle en avait. Une seule chose manquait…

— Matau?

Le Toa Hordika de l'air avait accepté de se charger du dernier tour de garde. Pourtant, il brillait par son absence.

Que s'est-il passé? s'interrogea-t-elle. *Les Visorak l'auraient-elles pris par surprise et capturé avant même qu'il puisse donner l'alerte?*

Tout à coup, elle reçut sur la tête de petits morceaux de bois et de pierre. Intriguée, elle leva les yeux. C'est alors qu'elle aperçut Matau, juché sous l'avant-toit de l'arche, en train de construire quelque chose qui ressemblait curieusement à un nid. Au bout d'un moment, il remarqua la présence de Nokama, tout en bas.

— Euh… oui?

— Je croyais que tu montais la garde, dit Nokama.

— C'est ce que je faisais…

Elle le regarda d'un air sceptique, l'invitant à trouver une meilleure excuse.

— … tout en construisant ceci, poursuivit-il. Mais je m'occupais davantage de la garde-surveillance. Ça a été toute une nuit de… de garde.

Nokama désigna d'un geste l'étrange construction faite de bois, de boue et de pierre que Matau avait érigée.

— À coup sûr, cela est la chose la plus impressionnante jamais construite par un Toa fou dans tout Metru Nui, dit-elle d'un ton sec. Soyons sérieux : c'est quoi?

Matau quitta son perchoir et atterrit près d'elle.

— C'est ça le problème, confessa-t-il. Je n'en ai aucune idée. J'ai simplement ressenti une envie… pressante. L'envie de faire un nid!

À sa grande surprise, Nokama ne se moqua pas de lui. Elle laissa plutôt son regard errer au loin et déclara :

— Ça m'arrive à moi aussi. Depuis que…

Elle fit un geste vers son propre corps, puis vers celui de Matau, et il comprit qu'elle faisait allusion à leur transformation.

— C'est bientôt le matin, dit-elle. Nous devrions retrouver les autres et voir ce que les Rahaga ont appris.

Elle se mit en route vers leur camp de fortune. Matau la suivit de près.

— Quand il t'arrive d'avoir ces idées, demanda-t-il plein d'espoir, est-ce que, par hasard, je n'en ferais pas partie?

* * *

Nokama et Matau réveillèrent les autres et, tous ensemble, ils amorcèrent la traversée du pont qui menait au Grand temple.

— Norik avait l'air tellement inquiet, dit-elle. Personne n'a vu quoi que ce soit pendant la nuit?

— Rien, répondit Whenua. Rien du tout.

— Ouais, c'était ennuyant, confirma Onewa.

— Je ne sais pas, dit Nuju avec un air mélancolique. J'étais fasciné par les bruits de la nuit.

Matau regarda le Toa Hordika de la glace.

— Oui, bien sûr! Sérieusement, je me demande pourquoi les Rahaga tardent tant. Je veux dire : qu'y a-t-il de si difficile à dénicher des renseignements?

— Quand les indications ont été écrites pour une créature qui n'existe plus depuis la nuit des temps? répondit Nuju. Lourde tâche.

— Sois patient, Matau, dit Nokama.

— Je n'ai pas de patience pour ce genre de chose!

Matau pressa le pas, distançant rapidement les autres.

— Nous avons déjà gaspillé-perdu une nuit complète! reprit-il. Selon moi, plus vite nous irons au Grand temple...

Il s'interrompit net, trop secoué par ce qu'il venait

de voir pour en dire davantage. Puis, d'une voix faible, il termina :

— … mieux ce sera.

À présent, les autres Toa pouvaient voir, eux aussi, la cause de sa surprise. On aurait dit qu'un Tahtorak avait ravagé le Grand temple. De la fumée s'échappait de l'édifice et s'élevait en volutes dans le ciel. Ils sentirent alors la peur saisir leur cœur, une peur pire que toutes celles qu'ils avaient connues auparavant. D'un même élan, ils traversèrent le pont à toute allure.

L'intérieur du Grand temple était encore pire que l'extérieur. Un incendie avait ravagé l'édifice, et le feu couvait encore en de nombreux endroits sous les décombres lorsqu'ils y entrèrent. Une fine couche de cendre recouvrait toute surface.

— Norik? appela Nokama.

Il n'y avait pas l'ombre d'un Rahaga. Aucun des Toa n'osa évoquer à voix haute leur peur commune de découvrir que leurs nouveaux alliés avaient tous péri dans l'incendie.

— Je ne vois rien, dit Nuju.

— Que devrions-nous faire? demanda Onewa.

Nokama regarda Matau, mais celui-ci se contenta de secouer la tête. Il n'avait pas de réponse.

— Si seulement Vakama était ici, dit Nokama doucement.

— Il y était.

Nokama se retourna, effrayée. La voix était faible, mais c'était bien celle de Norik. La Toa Hordika le retrouva, enfoui sous un tas de décombres. Whenua commença immédiatement à le dégager. Pendant qu'il s'affairait, Nuju remarqua que les morceaux de pierre qui couvraient le Rahaga étaient des fragments de la tablette où figurait l'inscription que Gaaki traduisait plus tôt. Leur meilleur et probablement leur unique espoir de retrouver Keetongu avait été réduit en pièces.

Norik leva les yeux vers ses sauveteurs; il n'y avait pas de soulagement dans son regard, seulement une immense tristesse.

— Il y était, répéta le Rahaga.

Vakama se trouvait devant l'entrée du Colisée et cognait à son énorme porte. Il y avait, près de lui, un gros objet encombrant recouvert de toile de Visorak. Voilà déjà un moment qu'il cognait à la porte, sans que les araignées l'attaquent pour autant, celles-ci semblant plutôt intriguées par son apparition soudaine.

La voix de Sidorak résonna tout à coup dans les haut-parleurs du Colisée.

— Tu dois te tromper, Toa. Ici, nous n'accueillons pas ceux de ta race… Nous les exterminons.

— C'est plutôt toi qui te trompes, Sidorak, répondit Vakama avec assurance. Je ne suis pas un simple Toa.

Un télescope en métal brillant sortit de la porte et s'étira jusqu'à Vakama, comme pour l'examiner. Bien sûr, Sidorak savait ce qu'il y verrait, mais il fut quand même surpris de constater à quel point et à quelle vitesse Vakama avait changé.

— Hordika, murmura le roi des Visorak, pourquoi es-tu venu ici?

— Pour joindre tes rangs.

Sidorak éclata de rire, et son rire parut encore plus terrible parce qu'il sortait amplifié des haut-parleurs. Sans se décourager, Vakama cria plus fort :

— Je t'apporte la preuve de mon engagement.

Le Toa Hordika du feu arracha d'un coup l'enveloppe de toile qui recouvrait sa charge. Les cinq Rahaga s'y trouvaient, ligotés, impuissants et sur le point d'être livrés à leur ennemi juré.

Sidorak cessa de rire. L'instant d'après, la porte du Colisée s'ouvrait toute grande. Vakama la franchit en tirant les Rahaga derrière lui, et fut aussitôt avalé par les ombres qui hantaient l'intérieur.

* * *

Norik avait toujours été impressionné par le contraste entre le peu de temps qu'il fallait pour raconter un récit et l'étendue des dommages que celui-ci pouvait causer chez ceux qui l'entendaient. En regardant tour à tour les Toa Hordika, il vit à quel point chacun d'eux était profondément choqué d'apprendre que Vakama l'avait attaqué.

— Vakama ne ferait jamais une chose pareille! insista Nokama en se tournant vers ses compagnons pour susciter leur appui. N'est-ce pas?

Aucun des Toa ne répondit. Ce fut plutôt Norik qui tendit une main secourable à Nokama en lui disant gentiment :

— Tu as raison, Nokama. Le Vakama que tu connais ne ferait jamais cela.

— Alors?

— Il a changé, dit Norik. Comme vous le ferez si nous ne retrouvons jamais Keetongu. J'ai bien peur que Vakama ait succombé tout à fait à la bête qui se cache en chacun de nous.

Onewa baissa les yeux sur son nouveau corps et tenta maladroitement d'alléger l'ambiance :

— Quelle bête? Je suis presque sûr que c'est bien moi qui me cache là-dessous.

Personne ne releva la plaisanterie.

— La bête ancienne. La primitive, poursuivit Norik. Le côté de nous que nous aimons appeler « évolué » contribue à nous faire oublier notre autre côté. Celui-là s'appelle « Hordika ».

— Je ne crois pas avoir envie d'être un Hordika, déclara Whenua.

Norik haussa les épaules.

— Ce n'est pas complètement mauvais, Whenua... à condition que tu saches le contrôler. Être un Hordika te procure certains dons et certaines capacités que tu n'aurais jamais cru possibles auparavant.

Nokama se surprit à penser à la tentative de nidification de Matau et à la nouvelle relation qu'elle-même entretenait avec la nature. Était-ce de ce genre de « capacités » que parlait Norik? Si oui, elle les échangerait volontiers contre la chance de redevenir une Toa Metru.

— En supposant que tu aies raison, dit-elle, nous devrions retrouver Keetongu et sauver les Matoran avant que notre côté Hordika nous domine, nous aussi.

— Oui, répondit Norik, le regard au loin. Cependant, je dois vous avertir... La transformation de Vakama est peut-être déjà trop avancée pour que même Keetongu puisse y changer quelque chose.

— Essayons quand même, coupa Matau. Nous devons bien ça au cracheur-de-feu. J'ai été plutôt dur avec lui…

Les autres Toa approuvèrent de la tête. Ils avaient tous été durs avec lui, et ce, avant même qu'ils reviennent à Metru Nui. Au lieu de tenir compte de ce que leur ami vivait, ils ne s'étaient souciés que des effets de son comportement sur eux.

— Et si vous ne pouvez pas l'aider? demanda Norik.

Le ton de Matau se durcit.

— Laissez-moi m'en charger.

Un silence pesant s'installa. Nuju détendit l'atmosphère en déclarant :

— Donc, on reprend les recherches.

— Pas tout à fait, répliqua le Rahaga.

— Parle vite, le pressa Matau.

— Nous avions réussi à traduire la majeure partie de l'inscription avant l'attaque de Vakama. Elle disait : « Suivez les larmes qui tombent et vont à Ko-Metru, jusqu'à ce qu'elles rejoignent le ciel. »

Les Toa jetèrent un coup d'œil au Grand temple. Un jet constant de protodermis liquide coulait le long de sa façade sculptée, formant des semblants de larmes.

— C'est là que nous trouverons Keetongu, conclut Norik.

— Du protodermis qui coule vers le ciel? répéta Matau, incrédule.

— Hé! ce n'est peut-être pas le plan du siècle, mais c'est un plan, répondit Onewa.

Iruini se débattait avec ses liens. Les Rahaga étaient serrés les uns contre les autres et avaient été attachés sur le devant de la plate-forme d'observation du Colisée, tels des trophées exhibés. Ils levèrent les yeux et aperçurent le Toa Hordika du feu qui les observait.

— Vakama…

— Ce nom ne signifie plus rien pour moi, répondit Vakama.

— Cela n'a pas toujours été le cas, dit Iruini. Les choses peuvent redevenir comme avant.

— C'est vrai. Elles le peuvent.

C'était la voix de Roodaka, qui rejoignait son nouvel allié.

— Si tu tiens à faire de nouveau partie des faibles, ajouta-t-elle.

— Jamais, répliqua Vakama.

Roodaka regarda ses prisonniers Rahaga sans une ombre de pitié dans les yeux.

— Gardez vos forces. L'appât est plus attirant quand il se tortille.

La vice-reine des Visorak sourit et posa sa main sur l'épaule de Vakama.

— Tu es tout ce que j'attendais de toi, murmura-t-elle. Viens. Il est temps que tu aies un aperçu de ce que l'avenir te réserve.

Elle fit demi-tour et se dirigea vers la pièce située à l'intérieur. Vakama la suivit après avoir jeté un bref coup d'œil en direction des Rahaga. Iruini le regarda s'éloigner, se demandant s'il n'assistait pas à la fin de tous les espoirs visant à secourir les Matoran.

En d'autres temps, les Toa auraient effectué rapidement le trajet de Ga-Metru à Ko-Metru par les toboggans. Pas moins d'une douzaine de toboggans reliaient les deux metru, la plupart d'entre eux passant près du Colisée. Mais étant donné la quantité de toboggans détruits et le fait que les Visorak étaient maintenant installées au Colisée, Nokama et ses compagnons durent se rabattre sur une solution beaucoup plus lente : la longue route menant au metru de Nuju.

Avant d'atteindre la limite séparant Le-Metru de Ko-Metru, ils découvrirent que le canal autrefois traversé par les toboggans accueillait à présent un tout autre genre de « pont ». Les Visorak avaient tissé, à cet endroit, un pont en fils de toile pour lier les deux metru. Nokama, Nuju, Whenua et Norik le traversèrent aussitôt, laissant Onewa et Matau surveiller les arrières.

Le Toa Hordika de la pierre tendit l'oreille. Tout au

long du trajet, ils avaient fait de leur mieux pour éviter d'attirer l'attention des Visorak, mais Onewa était presque sûr qu'une brigade d'Oohnorak les avait aperçus alors qu'ils approchaient de la frontière. Les bruits étranges qu'il entendit ne firent que confirmer ses craintes.

— Qu'est-ce que c'était? demanda-t-il à Matau.

Les bruits augmentèrent d'intensité : il s'agissait d'une sorte de grattement produit par une douzaine de Visorak se rapprochant de l'endroit où ils étaient.

— Tu as droit à une réponse, pourvu que ce soit « Visorak », répondit Matau. File-décampe!

Onewa s'apprêta à faire un pas sur le pont, puis hésita.

— Tu crois qu'il va tenir le coup?

— Je l'ignore. Mais je préfère tenter ma chance avec le pont plutôt qu'avec elles.

— Très juste, dit Onewa.

De l'autre côté du gouffre, Nokama se retourna et aperçut ses deux compagnons Toa Hordika toujours loin derrière.

— Matau, Onewa, dépêchez-vous! cria-t-elle.

Le Toa Hordika de la pierre posa son pied avec précaution sur le pont. Il sut immédiatement qu'il venait de commettre une erreur. Étirés plus qu'à leur maximum, les fils de toile se rompirent d'un coup sec. Onewa tomba à la renverse pendant que Nokama, Nuju, Whenua et Norik furent propulsés en l'air, comme par un lance-pierre.

Les trois Toa Hordika réussirent à s'agripper aux rebords en saillie de la paroi du gouffre et à se hisser dessus. Nuju jeta un coup d'œil aux alentours et s'aperçut qu'il manquait un membre du groupe.

— Où est Norik?

— Je suis en haut!

Ils levèrent les yeux et virent que Norik était pris dans la toile du pont.

— Ce n'est pas vraiment agréable.

— Ouais, répliqua Whenua. Nous sommes déjà passés par là.

Nokama regarda de l'autre côté du pont. Onewa et Matau étaient coincés à l'autre bout à présent. Pire encore, elle discernait à travers la brume les silhouettes floues d'Oohnorak qui approchaient d'eux. Ce n'était plus qu'une question de secondes avant que ses deux amis soient capturés par les Visorak ou forcés à sauter dans le vide et à plonger dans le canal vers une fin certaine.

Le plus terrible, se dit-elle, *c'est que je ne sais pas lequel de ces deux sorts est le pire.*

* * *

Vakama se trouvait dans ce qui avait été autrefois la salle privée de Turaga Dume au Colisée, laquelle avait été convertie ensuite par Makuta pour servir ses sombres desseins. L'attraction principale de la pièce était un trône noir et tordu. Il n'y avait pas à en douter; même vide, c'était un siège de pouvoir.

— Vas-y, dit Roodaka en lui faisant signe de s'avancer. Touche-le.

Vakama étendit le bras et effleura le trône du bout des doigts. Au même instant, son esprit fut envahi par des ombres, des images d'exploits diaboliques du passé et de l'avenir, et par un mépris immense et destructeur pour tous ceux qui oseraient s'opposer à ses désirs.

Non, pas mes désirs... ceux de Makuta, comprit-il. *Mais en ce moment, ce sont les mêmes... nous sommes les mêmes. L'éclipse, le tremblement de terre : Makuta les a provoqués en condamnant le Grand esprit Mata Nui à un sommeil éternel. Les Matoran, les Rahi et tout ce qui vit allaient être enfermés jusqu'au moment où ils pourraient être éveillés pour vivre sous notre... sous sa gouverne. Voilà pourquoi les Visorak sont ici, voilà pourquoi elles ont traversé et conquis les territoires un à un, et il n'y a rien à Metru Nui qui puisse nous... qui puisse les... qui puisse nous arrêter.*

Le Toa Hordika du feu retira vivement sa main du trône comme si celui-ci l'avait mordu. Il eut le sentiment que la corruption émanant de l'objet l'avait envahi pendant une éternité alors qu'en réalité, il ne l'avait touché que pendant une fraction de seconde.

— Qu'as-tu vu? demanda Roodaka.

Sidorak entra dans la pièce avant que Vakama ait le temps de répondre.

— Tu peux regarder, Vakama, mais tu ne peux pas toucher.

Vakama vit le roi des Visorak, flanqué de deux Oohnorak, s'approcher et se laisser tomber lourdement sur le trône.

— Je tiens à te remercier personnellement, déclara-t-il à Vakama. Grâce à toi, les Rahaga connaîtront une fin convenable… aussitôt que j'en aurai imaginé une.

— Cela n'est qu'un avant-goût de ce qu'il peut t'offrir, dit Roodaka d'une voix douce.

— Vraiment?

— Bien sûr, mon roi, ronronna la vice-reine. Je t'offre Vakama en cadeau. Un chef taillé sur mesure pour diriger ta horde.

Sidorak secoua la tête. Il avait beau estimer grandement la sagesse de Roodaka, il était d'avis que, cette fois, elle se trompait. La horde était beaucoup trop nombreuse pour qu'un seul commandant puisse la diriger.

— Hordika ou pas, il n'y en a qu'un comme lui...

Roodaka avait prévu cette objection.

— C'est justement pour cette raison que les autres Toa s'en viennent par ici. Avec Vakama à la tête de ta horde, ils seront bientôt capturés et... entraînés... tout comme lui. Est-ce que six commandants, ce serait assez pour te satisfaire?

— Voilà une offre intéressante, Roodaka, dit Sidorak.

— Considère-la comme un cadeau de fiançailles, ajouta Roodaka, un sourire aux lèvres.

— Dans ce cas, répondit Sidorak en se tournant vers Vakama, nous ferions mieux de te présenter à la horde.

Matau noua un autre brin de fil de toile autour de deux pointes rocheuses. Satisfait de ce qu'il venait de fabriquer, il regarda Onewa et dit :

— Allons-y.

— Tu ne penses pas sérieusement à ce que je pense que tu penses? demanda le Toa Hordika de la pierre.

Matau tira sur le fil tendu et vérifia sa solidité. Puis

il sauta au centre de son lance-pierre improvisé, s'adossa au fil et recula pour l'étirer.

— Oui, tu y penses, dit Onewa en enjambant le fil pour rejoindre le Toa Hordika de l'air. Je savais qu'il y avait une raison pour laquelle je t'ai toujours apprécié.

Unissant leurs efforts, ils forcèrent le fil à s'étirer loin, encore plus loin, jusqu'à ce qu'il soit tendu au maximum.

— Accroche-tiens-toi bien! lança Matau.

Onewa agrippa son compagnon Toa. Puis ils levèrent tous deux les pieds. Le fil du lance-pierre claqua et les projeta en avant, jusque de l'autre côté du gouffre, au moment même où les Oohnorak faisaient irruption derrière eux. Apercevant Norik emmêlé dans les fils un peu plus bas, Onewa se pencha et l'attrapa au passage.

— On t'emmène?

— Ça marche! cria Matau. On va y arriver!

Le Toa Hordika de l'air avait parlé trop vite. Le poids additionnel de Norik leur avait fait perdre de l'élan trop tôt. Leur trajectoire se modifia, les faisant piquer vers le canal.

— Peut-être pas, ajouta Matau.

Les Toa Hordika et le Rahaga heurtèrent les flots. Du haut de la falaise, leurs trois compagnons regardaient la scène avec inquiétude.

— Que faisons-nous à présent? demanda Whenua.

— Norik étant le seul à connaître le chemin menant à Keetongu, dit Nokama, nous plongeons!

Elle prit son élan, s'élança dans le vide et plongea avec grâce dans le canal. Un instant plus tard, elle avait disparu sous la surface du protodermis liquide.

Whenua lança un regard à Nuju.

— Ça recommence!

Les deux Toa s'avancèrent sur le rebord, s'armèrent de courage et sautèrent.

Sidorak traversait un tunnel du Colisée d'un pas assuré, Vakama le suivant avec soumission. Le roi des Visorak réfléchissait à ce qu'il avait accompli aujourd'hui. Des « fiançailles » avec Roodaka auraient plusieurs retombées positives. En tant que reine de la horde, elle aurait droit à la moitié des récompenses de chaque conquête, ce qui rendait moins probable l'idée qu'elle veuille un jour court-circuiter son autorité. Cette concurrence ridicule entre eux pour s'attirer les faveurs de Makuta cesserait. Et le plus beau, c'était que Sidorak aurait à présent une certaine notoriété sur le territoire de Roodaka et, étant donné la puissance qu'on attribuait à ses habitants, cela représentait une très belle réussite.

Quant à Vakama, c'était tout autre chose, bien sûr. Sidorak ne voyait aucune raison de douter de la défection du Toa Hordika et il était clair qu'aucun autre chef de horde n'était mieux placé que lui pour déjouer les stratégies des Toa. Malgré cela, le roi était déterminé à limiter les ambitions de Vakama au commandement de la horde; pas question qu'il convoite le trône. Par expérience, Sidorak savait avec quelle rapidité un être sans pitié pouvait accéder au pouvoir.

— Tu sais, Vakama, tu me rappelles un peu celui que j'étais à ton âge, dit-il.

Comme Vakama ne répondait pas, il ajouta :

— C'était un compliment.

— Merci, mon roi, dit Vakama sans enthousiasme.

— Je t'en prie. Tu peux voir à quel point je suis généreux, poursuivit le roi. Les membres de ma horde sont obéissants. Ils feront tout ce que tu leur diras. À moins que je n'ordonne autre chose, évidemment.

— Évidemment, répéta Vakama.

Sidorak donna une bonne claque dans le dos du Toa Hordika, si fort qu'il faillit le faire trébucher.

— Bien. À présent...

Ils sortirent sur la plate-forme d'observation du

Colisée. Des centaines de Visorak de chaque espèce étaient rassemblées en bas, attendant les ordres.

— Voici les troupes! lança Sidorak d'une voix forte.

Les yeux des Visorak allèrent de Sidorak à Vakama. Puis, d'un même mouvement, les araignées s'inclinèrent devant leur nouveau commandant. Malgré lui, Vakama sentit une bouffée de fierté l'envahir. Il avait devant lui des chasseuses expérimentées, des équipes solides qui avaient ravagé des centaines de territoires et qui, malgré tout, étaient prêtes à lui obéir. Cinq Toa l'avaient ridiculisé, mais devant lui se tenaient maintenant un millier de Visorak prêtes à se battre à son signal.

— Peut-être aimerais-tu leur adresser quelques mots? suggéra Sidorak.

Le côté Hordika de Vakama réagit avec furie. Il poussa un rugissement qui fit trembler le Colisée. La horde entière des Visorak se leva et répondit par un grognement de son cru.

Roodaka contemplait la scène avec contentement. En tant que vice-reine, elle avait une autorité restreinte sur la horde, et plusieurs Visorak refusaient même de lui obéir sans l'approbation officielle de Sidorak. Mais à présent que Vakama dirigeait la horde, elle s'occuperait de diriger Vakama.

Sidorak l'ignore, songea-t-elle, *mais à partir de maintenant, il n'est plus indispensable.*

Les Toa Hordika filaient à l'intérieur d'un toboggan sous-marin à une vitesse affolante. Contrairement aux toboggans en surface, celui-ci était toujours en état de marche, fonctionnant de toute évidence grâce à une source d'énergie encore méconnue des Matoran.

Cela explique comment les Visorak sont parvenues jusqu'à Metru Nui, songea Nokama en filant à toute allure. *Il doit exister d'autres toboggans sous la mer qui sont encore fonctionnels, même si je n'arrive pas à m'expliquer comment.*

Ses yeux, plus habitués à voir sous l'eau que ceux de ses compagnons, détectèrent quelque chose d'étrange droit devant. Le toboggan remontait abruptement vers le haut et semblait rompu ici et là. Elle sentit un courant froid dans le liquide au fur et à mesure qu'elle approchait de l'endroit. L'instant d'après, elle n'était plus dans le protodermis liquide, mais plutôt en train de glisser le long d'une couche de glace qui recouvrait l'intérieur du toboggan!

Elle était à l'aise dans le liquide, mais sur la glace, c'était une autre affaire. Incapable de contrôler sa trajectoire, elle fut éjectée du toboggan, suivie de près par Nuju et Whenua. Tous les trois firent un vol plané qui se termina par un choc violent contre un banc de neige.

Nokama regarda autour d'elle, abasourdie. Ils étaient dans un monde tout blanc et si brillant qu'il en était aveuglant. Cela ressemblait à Ko-Metru, mais un Ko-Metru où la météo aurait été déréglée.

— Où sommes-nous? demanda-t-elle.

— Nous sommes arrivés, répondit Nuju.

Whenua se secoua pour faire tomber la neige collée sur lui.

— Bien. Alors, tu sais où nous sommes? demanda-t-il.

Nuju examina les alentours. Il répondit sur un ton stupéfait :

— Non!

Whenua hocha la tête.

— Toujours en train de contempler les étoiles. La terre aussi a ses secrets, tu sais.

Tout à coup, la tête de Norik surgit de la voûte de neige qui les surplombait.

— On n'a jamais trouvé Keetongu, mes amis, ce qui suppose qu'on n'a jamais trouvé l'endroit où il vivait non plus.

— Je n'arrive pas à le croire.

C'était la voix de Matau venant de quelque part sur la gauche. Nokama se retourna et vit le Toa Hordika de l'air sortir d'un tas de neige et montrer quelque chose au loin.

— Regardez. Ça rejoint-touche vraiment le ciel, dit-il, impressionné.

Norik et les Toa Hordika regardèrent dans la direction qu'il indiquait. Le protodermis liquide qui fuyait du toboggan défectueux avait giclé dans l'air glacial et avait gelé, formant une montagne de glace cristalline.

— Venez! cria Norik en se précipitant déjà vers sa base.

Dans l'arène du Colisée, la horde de Visorak s'exerçait en vue du prochain combat. Plus haut, Vakama observait ses légions, notant chaque caractéristique de leur style de mouvements et de leurs tactiques.

— Est-ce bien tout ce que je t'avais promis?

Vakama jeta un coup d'œil derrière lui et aperçut Roodaka qui approchait. Il reporta son attention sur les Visorak.

— Nous le saurons bientôt, répondit-il.

— Oui, une nuit lourde de conséquences s'amorce.

Tiens-toi prêt : avant qu'elle se termine, beaucoup de choses auront changé.

Elle fit un geste en direction de Sidorak qui venait vers eux.

— Voici d'ailleurs l'une de ces choses.

Le roi des Visorak rejoignit sa vice-reine et son nouveau commandant.

— Comment va ma horde, Vakama?

— Elle obéit, répondit le Toa Hordika. Et elle est prête, Sidorak, peu importe ce qui se présentera.

— Y compris des Toa?

— Surtout des Toa, dit Vakama.

Sidorak analysa la situation. En tant que roi, il sentait qu'il devrait ordonner quelque chose ou offrir un conseil quelconque, mais Vakama semblait déjà tenir les choses bien en main.

— Bien, dans ce cas… que faisons-nous à présent?

— La partie la plus difficile, répondit Vakama en scrutant la cité. Nous attendons.

Aidé de ses lames aéro-tranchantes, Matau avait devancé facilement les autres dans l'escalade de la montagne de glace. Quand il fut près d'atteindre le sommet, il se retourna pour voir Norik, Nokama, Whenua, Onewa et Nuju qui peinaient pour le rejoindre.

— Allez, dépêchez-vous! s'exclama-t-il. C'est incroyable!

Matau se hissa au sommet, puis il se mit debout et contempla l'étendue vide et glacée. Il n'y avait rien d'autre que de la glace et encore de la glace.

— Incroyablement vide, corrigea-t-il.

Les autres avaient maintenant atteint le haut du pic, eux aussi. Les Toa Hordika étaient perplexes : était-ce pour cela qu'ils avaient grimpé jusqu'ici? Seul Norik ne semblait pas préoccupé par l'absence de tout signe de vie de Keetongu.

— Ne sois pas si prompt à te faire une opinion, Matau, dit le Rahaga.

Puis il se tourna et s'adressa au désert de glace et à l'air froid.

— Nous sommes désolés de troubler ton repos, noble créature, mais le devoir de ces Toa les oblige à réclamer ton aide.

Pendant un long moment, rien ne se produisit. Matau se sentait idiot. Pourquoi avaient-ils cru tout ce bla-bla à propos d'un Rahi perdu aux pouvoirs fantastiques? Tout cela n'était que le produit de l'imagination de quelques Rahaga. Plus important encore, comment allaient-ils faire pour rebrousser chemin?

— Puis-je émettre une opinion à présent? demanda-t-il, dégoûté.

En guise de réponse, la montagne se mit à trembler, manquant de faire tomber les Toa.

Norik se tourna vers Matau en souriant :

— Oui.

La scène qui se produisit ensuite resterait à jamais gravée dans la mémoire de tous ceux qui y assistèrent. Des profondeurs de la glace émergea une créature comme ils n'en avaient jamais vue auparavant. On aurait dit que son armure avait été forgée à même le soleil et qu'un pouvoir puissant irradiait de sa seule présence. Son bras droit se terminait par une batterie de boucliers pivotants, alors que sa main gauche tenait un pic terriblement pointu. Sur son torse, un panneau dissimulait partiellement un lanceur de disques Rhotuka. Le Rahi observa les êtres rassemblés devant lui de son unique grand œil.

Puis, d'une voix qui n'avait été entendue par aucun être vivant depuis des siècles, la créature dit :

— Toa.

Norik leva les yeux vers la puissante créature qui avait répondu à sa demande. Une partie de lui aurait souhaité que ce moment ne finisse jamais, car il représentait l'aboutissement de tant d'années d'efforts et de travail.

— Keetongu, prononça-t-il en réalisant que ce mot contenait à lui seul tout le respect, tous les espoirs et toute la joie qu'il ressentait.

Un long moment de silence suivit. Enfin, Matau prit la parole et s'écria :

— Alors, grand gaillard, à propos de cette demande-faveur…

— Voilà pourquoi nous sommes venus jusqu'ici et pourquoi nous quémandons ton aide, conclut Norik. Nous aideras-tu à faire revenir Vakama parmi nous?

Les Toa Hordika, Norik et Keetongu étaient assis

dans la caverne souterraine qui tenait lieu de maison au Rahi. C'était un endroit rudement froid et humide, où régnait une odeur plutôt désagréable, mais la plupart des Toa étaient d'accord pour faire abstraction de tout cela si, en échange, ils pouvaient compter sur l'appui de ce puissant nouvel allié.

Keetongu regarda Norik et grogna un simple :

— Non.

— Eh bien, merci quand même, dit Onewa en se levant, impatient de sortir de cet endroit obscur. Dans ce cas, nous partons.

Whenua agrippa son ami par l'épaule et l'empêcha d'avancer. Keetongu s'était remis à parler, mais cette fois dans un langage qu'aucun des Toa ne comprenait. Seul Norik, qui l'écoutait avec attention, sembla capable de déchiffrer ce qu'il disait.

— Keetongu ne peut pas amorcer un combat en votre nom, traduisit Norik, mais il peut aider ceux qui respectent les trois vertus. Les Toa, par exemple. En fait, il est de son devoir de le faire.

Matau sourit.

— Alors, il va nous retransformer en beaux-charmants héros Toa, tels que nous étions?

Keetongu regarda le Toa Hordika de l'air et dit :

— Non.

— Je m'y perds, reconnut Whenua.

Keetongu reprit la parole. Au bout d'un moment, Norik hocha la tête et dit :

— Bien sûr, bien sûr.

— Quoi donc? demanda Nokama.

— Avec son seul œil, Keetongu voit ce que nous n'avons pas vu avec tous les nôtres, expliqua Norik. Si vous voulez sauver Vakama, vous feriez mieux de conserver votre nouvelle apparence et vos nouveaux pouvoirs, et non pas de vous en débarrasser.

Matau leva les bras au ciel.

— Nous sommes venus jusqu'ici pour découvrir que nous n'avions pas besoin de venir jusqu'ici!

Keetongu produisit une série de sons étranges. Il fallut un moment aux Toa pour comprendre que la créature riait.

— Lui aussi trouve ça drôle, commenta Norik.

— C'est ça. Très drôle, répéta Matau d'un ton amer. C'est bien ce que je pensais.

Keetongu se remit à parler à Norik. Le Rahaga dit :

— Keetongu a été touché par votre récit et par l'attachement que vous témoignez à votre ami. Il dit que le fait que ce soit la première histoire qu'il ait entendue depuis une éternité y est sûrement pour quelque chose; il juge néanmoins que votre quête mérite d'être menée à bien.

Le Rahi grogna. Norik sembla si surpris par ce bruit qu'il oublia de le traduire, jusqu'à ce que Matau le presse :

— Et… quoi d'autre?

— Et… dit Norik doucement, il aimerait nous offrir son aide.

Nokama sourit, sentant pour la première fois qu'après tout, ils avaient peut-être une chance de réussir. Elle étendit le bras en levant son poing. Un à un, Nuju, Onewa, Whenua et Matau y joignirent le leur. Elle se tourna vers Norik et l'invita du regard à se joindre à eux.

— C'est un honneur pour moi, dit le Rahaga en ajoutant son poing à ceux des autres.

Matau leva les yeux vers Keetongu.

— Toi aussi, grand gaillard.

Le Rahi étendit la main vers le cercle. Ils étaient maintenant unis dans un but commun, mais personne ne put s'empêcher de penser à l'absence de Vakama. Et chacun, à sa façon, fit le vœu de le retrouver et de le sauver des ténèbres… peu importe ce qu'il en coûterait.

* * *

Vakama testa ses griffes de feu pour la centième fois. Il n'en pouvait plus d'attendre. Il voulait courir, se battre, faire n'importe quoi plutôt que de rester là à se demander où il était et ce qu'il faisait.

Il avait la certitude que les autres Toa étaient là-bas avec Norik, en train de comploter contre lui. Jamais ils ne comprendraient le choix qu'il avait fait, ni que c'était la seule façon de sauver les Matoran.

Ils sont idiots, comme je l'étais, songea-t-il. *Prisonniers de l'image du Toa et de l'idée qu'un masque, un outil et une armure font de vous l'égal de n'importe quel adversaire que vous affrontez.*

Une flamme fine et chaude sortit de sa griffe.

Eh bien, c'est faux. Parfois, les chances de réussite sont trop minces… Parfois aussi, ce qui se trouve sous l'armure n'est pas assez fort pour gagner le combat. Si je m'étais battu à leurs côtés, nous serions tous morts et les Matoran auraient été perdus. Ceci… Ceci est la seule façon de réussir.

Le Toa Hordika du feu scruta la brume, essayant en vain d'apercevoir ses anciens amis.

— Où sont-ils? demanda Roodaka.

La réponse à sa question ne se fit pas attendre. Quelque chose heurta de plein fouet les portes du Colisée, les faisant sortir de leurs gonds. Deux sentinelles Visorak blessées traversèrent l'air, projetées dans l'arène par la chose qui avait enfoncé les portes. Quand la fumée se dissipa, Vakama vit cinq Toa Hordika entrer dans le Colisée en regardant autour d'eux comme si le monde leur appartenait déjà.

— Vakama! cria Nokama.

Sa voix fit vibrer la corde sensible du Toa Hordika du feu. Il avait été facile de chasser ses vieux compagnons de son cœur en leur absence, mais à présent qu'il les voyait… qu'il se remémorait leurs aventures… Tout ce qu'il réussit à faire, ce fut de murmurer :

— Nokama…

Roodaka vit ce qui se passait. Elle se pencha au-dessus de la balustrade de la plate-forme d'observation et lança :

— Ce n'est plus le Vakama que tu connais, Nokama.

— Je ne l'ai pas entendu, lui, en dire autant, rétorqua Matau.

Roodaka fixa Vakama. Il ne la déçut pas.

— Elle a raison, dit-il. Vous n'êtes pas ici pour la raison que vous croyez.

Whenua désigna son ancien chef et dit :

— Nous sommes venus te sauver!

— Les seuls que vous pouvez sauver à présent, ce sont vous-mêmes, répliqua Vakama. Inclinez-vous et promettez fidélité et obéissance à votre nouveau maître, moi!

Sidorak, qui se tenait un peu de côté, toussa bruyamment.

— Aux Visorak, reprit Vakama.

Sidorak toussa encore.

Vakama comprit enfin le message.

— Au roi des Visorak! clama-t-il.

Onewa fit un pas en avant.

— Et si nous refusons?

Le Toa Hordika du feu sortit une griffe de feu et chacun comprit la menace que ce geste sous-entendait.

— Je vous y forcerai.

Nokama consulta ses compagnons. À tour de rôle, chacun hocha la tête. Ils n'étaient pas venus d'aussi loin pour changer d'avis et abdiquer devant un cracheur-de-feu devenu apparemment fou. Elle regarda de nouveau Vakama en brandissant bien haut la pointe de sa lame hydro, et dit :

— Je n'en crois rien.

— Ouais, ajouta Matau en venant prendre place à ses côtés. Toi et quelle troupe-armée?

Vakama tendit le bras et arracha l'un des mâts très

pointus sur lesquels étaient fixés les drapeaux qui bordaient la plate-forme d'observation. Il le lança de toutes ses forces vers les Toa Hordika. La pointe du mât alla se planter dans le sol, juste aux pieds de ses anciens amis.

Ce n'était pas qu'une réponse, c'était aussi un signal. La horde des Visorak déferla et encercla les Toa de toutes parts, si nombreuse que le stade se remplit à vue d'œil. Dès qu'elles furent toutes en position, chacune activa son lanceur de disques Rhotuka et mit les Toa dans sa ligne de mire.

— Ah oui, dit Matau, cette troupe-armée-là.

À son tour, Nokama activa son lanceur.

— On fait comme convenu, dit-elle. Attention…

Les quatre autres Toa lui obéirent; l'énergie dégagée par leurs lanceurs crépita dans l'air brumeux.

— Tu crois vraiment que ça va fonctionner? demanda Matau.

Nokama fit comme si elle n'avait rien entendu.

— Prêts…

Les Toa se déplacèrent d'un bloc. À présent, leurs lanceurs ne visaient plus la horde, mais les étages tout en haut du Colisée. Au signal de Nokama, chacun brandit un outil Toa dans le champ d'énergie tourbillonnant qui s'était créé. Soudés par la force des disques, les outils fonctionnaient à plein régime. Où qu'ils aillent, ils traîneraient les Toa Hordika derrière eux.

Nokama jeta un coup d'œil à Matau et dit :

— Tu me reposeras la question dans une minute.

Tout autour d'eux, les lanceurs des Visorak émettaient un vilain bourdonnement semblable au bruit que produirait un essaim de lucioles enragées. Onewa connaissait trop bien ce bruit. C'était le signe qu'elles étaient sur le point de tirer.

— Euh, Nokama? risqua-t-il.

La Toa Hordika de l'eau fixait les Visorak attentivement et attendait le moment propice. Si elle agissait trop vite, les Visorak auraient le temps de modifier leur tir et toucheraient les Toa alors en pleine ascension. Aussi risqué que cela pouvait l'être, elle devait attendre que les araignées aient tiré.

Roodaka devenait impatiente. Les Toa Hordika étaient à leur merci, encerclés de toutes parts, sans aucun moyen de s'échapper. Qu'est-ce que Vakama attendait pour agir?

Si tu veux que l'ennemi morde la poussière, tu dois t'en mêler, décida-t-elle.

— Feu! hurla Roodaka.

Les Visorak projetèrent leurs disques. Au même

moment, leur vice-reine appuya sur un interrupteur. La plate-forme d'observation se mit à monter. Tout en bas, Matau vit avec horreur des centaines de disques venir droit sur lui.

— On fait comme elle a dit! cria-t-il.

Les cinq Toa lancèrent leurs disques et s'agrippèrent de toutes leurs forces à leurs outils qui les emportaient dans les airs. Les disques des Visorak convergèrent vers l'endroit où se trouvaient les Toa l'instant d'avant et pulvérisèrent complètement le sol.

Onewa regarda par-dessus son épaule et cria à l'intention de la horde :

— On vous a eues!

Malheureusement, ce fut une mauvaise idée de ne pas regarder devant lui, car il fonça tête première dans le mur du Colisée.

Nokama, Nuju et Whenua s'en tinrent au plan initial. Au prix de grands efforts, chacun se hissa au bout de son outil et enfourcha un disque. Aucun d'eux n'avait jamais tenté une telle expérience – chevaucher un disque d'énergie – et chacun savait que seul le champ électromagnétique présent autour des disques les maintenait en l'air. Dès que les disques se mettraient à perdre de la vitesse, ce serait la chute vers une mort certaine. Pour le moment, cependant, ils s'avéraient très efficaces pour couper au travers des toiles de Visorak.

Selon le plan de Nokama, les cinq Toa devaient foncer vers le labyrinthe de couloirs du Colisée, mais Matau, lui, avait autre chose en tête. Quand il constata que les autres s'étaient rendus à l'intérieur sans encombre, il dirigea son disque vers la plate-forme d'observation où se trouvait encore Vakama.

Le moment est venu de régler nos comptes, cracheur-de-feu, se dit-il. *Je reviens avec toi... ou je ne reviens pas du tout.*

Des bruits de tremblements de terre ébranlèrent le Colisée. Au début, on aurait dit que quelque chose s'approchait de l'édifice, mais à présent, c'était comme si cette chose frappait directement sur l'édifice. Sidorak trouva cette perspective peu rassurante.

— Enfin, ce bruit... dit-il avec inquiétude.

Il tendit le bras et appuya sur l'interrupteur, ce qui fit arrêter la plate-forme d'observation. En se penchant par-dessus la balustrade, il aperçut quelque chose qui pétrifia son cœur noir.

C'était Keetongu, le corps irradiant de puissance brute, qui escaladait le Colisée. La horde s'étant lancée à la poursuite des Toa Hordika, il n'était resté aucune

Visorak pour signaler son approche.

— Qu'est-ce que c'est? demanda Sidorak encore sous le choc.

Vakama jeta un coup d'œil par-dessus la balustrade et dit, sans afficher la moindre émotion :

— Je crois que c'est Keetongu.

— Mais Keetongu n'existe pas!

Vakama croisa le regard du roi des Visorak et ajouta d'un ton neutre :

— Il semble que tu aies tort à ce sujet.

Puis le Toa Hordika du feu s'adressa à Roodaka :

— Je m'en occupe.

Elle l'arrêta d'un geste de la main.

— Non, Vakama. Ce n'est pas à toi de le faire.

Roodaka sourit et tendit sa main en forme de grappin vers Sidorak.

— C'est un acte digne d'un roi.

Un million de pensées affluèrent en même temps dans l'esprit de Sidorak. Bien sûr, il savait que c'était potentiellement suicidaire d'affronter Keetongu au combat. Mais refuser de le faire signifierait peut-être perdre le respect de Roodaka. Peut-être même qu'après avoir pris une décision aussi honteuse, il verrait la horde refuser de lui obéir. Tout compte fait, il n'avait pas le choix et il le savait.

Roodaka le savait aussi.

Sidorak se redressa avec fierté et prit la main de la vice-reine en déclarant :

— Si Keetongu n'est pas un mythe, il le deviendra bientôt.

Roodaka et Sidorak se dirigèrent vers la sortie de la plate-forme et vers une confrontation avec la légendaire bête Rahi, laissant Vakama derrière eux.

— Où donc est ma place? demanda-t-il.

Roodaka répondit sans se retourner :

— Dans l'avenir, Vakama. Un avenir proche. Comme je te l'ai dit… tiens-toi prêt.

Puis ils disparurent. Vakama retourna à la balustrade en marmonnant :

— L'avenir… J'aimerais qu'il se dépêche d'arriver par ici.

— Le voici!

Vakama se retourna juste à temps pour voir Matau qui volait vers lui, tiré par son disque. Avant que le Toa Hordika du feu puisse réagir, Matau l'attrapa et l'arracha à la plate-forme pour l'emmener dans les airs. Vakama se débattit sans arrêt pendant qu'ils s'élevaient bien haut au-dessus du Colisée.

— Lâche-moi! hurla-t-il.

Matau n'avait aucune intention de le laisser

s'échapper. Ce fut seulement quand Vakama réussit à arracher la lame aéro-tranchante de Matau du champ électromagnétique créé par le disque que leur ascension cessa subitement. Privé du pouvoir du disque Rhotuka pour les maintenir en l'air, les deux Toa Hordika plongèrent tout droit vers la flèche centrale du Colisée. Ils fracassèrent tous deux le dôme de l'atrium qui entourait la flèche et atterrirent au beau milieu de sa charpente fragile.

Matau fut le premier à se remettre debout.

— Tu voulais descendre, grogna-t-il, tu es descendu.

Vakama bondit des débris. Ses yeux lançaient des éclairs, la douleur et la colère ayant ravivé son côté Hordika.

— Ta place est ici, Vakama. Maintenant. Avec nous, dit Matau. Nous sommes ici pour secourir les Matoran.

Vakama répondit par un grognement de rage.

— Tu t'en souviens, pas vrai? demanda Matau, plein d'espoir.

Cette fois, Vakama répondit par un bond incroyablement rapide qui le fit percuter son vieil ami Matau.

Keetongu était presque parvenu au sommet de la flèche centrale du Colisée. Aucune Visorak n'avait osé l'attaquer. Elles étaient peut-être des guerrières, mais pas des imbéciles.

Toutefois, tout le monde n'avait pas fui devant le Rahi. Une décharge d'ombre pure le toucha en pleine ascension, l'arracha à l'édifice et le fit plonger vers le sol. Keetongu réussit cependant à arrêter sa chute à mi-chemin en plantant son pic dans le mur.

Roodaka se tenait tout là-haut, des volutes de pouvoir noir s'enroulant encore au bout de ses doigts. Constatant que sa proie avait réussi à échapper à la mort, elle marmonna :

— Je suis presque impressionnée.

Elle n'était pas inquiète pour autant. Sidorak et elle étaient parfaitement bien placés pour éliminer le Rahi quand bon leur semblerait. Roodaka visa avec soin et libéra une autre décharge. Celle-là ébranla l'outil de Keetongu, qui tomba une fois encore.

Cela va de soi, songea-t-elle. *Après tout, il est normal qu'un Rahi légendaire ait droit à une mort légendaire.*

Quelles pensées traversèrent l'esprit du Rahi appelé Keetongu dans sa chute vertigineuse vers le sol du Colisée? Se demanda-t-il si tout cela n'était qu'un mauvais tour du destin? Qu'après être resté caché si longtemps, il ne ressortait que pour mourir? S'inquiéta-t-il pour la sécurité des Toa Hordika après sa mort? Affronta-t-il sa fin avec courage ou la vit-il venir avec la panique aveugle et folle d'une bête?

Personne ne pouvait le savoir. Il s'écrasa comme une météorite sur le carrelage du Colisée, créant par le fait même un cratère immense. L'impact déclencha les toutes dernières réserves d'énergie dans l'arène, actionnant le mécanisme du plancher, et faisant sauter et retomber les tuiles ça et là comme les vagues de l'océan. Quand cela cessa enfin, le plancher du Colisée n'était plus qu'un champ rempli de bosses irrégulières et de creux dangereux.

— Voilà qui est fait, dit Sidorak.

— Non! rétorqua Roodaka.

Puis, réalisant que Sidorak la regardait avec

étonnement, elle ajouta sur un ton plus doux :

— Je veux dire... Ne devrions-nous pas nous en assurer?

Sidorak regarda en direction du cratère où gisait Keetongu. Encouragé par sa victoire, il répondit :

— Si cela peut te faire plaisir, ma presque-reine.

Il se dirigea à l'intérieur de la flèche pour descendre jusqu'au sol de l'arène. Roodaka lui emboîta le pas, laissant échapper ce mot doux avec autant de fausseté que de méchanceté :

— Oui, mais à condition que tu me protèges.

Matau tituba vers le rebord étroit qui entourait l'atrium. Un pas de plus et il n'était plus qu'une tache verte sur le sol tout en bas. Ce détail ne sembla pas troubler Vakama, si on se fiait à la façon dont il avançait vers son compagnon Toa.

— Je t'ai dit que je voulais discuter, Vakama, pas me battre-disputer!

— Je n'ai pas d'ordres à recevoir de toi, grogna Vakama. Les ordres, c'est moi qui les donne!

Matau comprit seulement à cet instant à quel point son vieil ami avait changé. Peu importait les raisons – bonnes ou mauvaises – qui avaient poussé Vakama à s'allier aux Visorak, il était maintenant évident qu'il avait plongé si profondément dans sa part d'ombre qu'il s'y était perdu.

— Que t'est-il arrivé?

Vakama grogna, un rictus se dessinant sur son visage.

— Enfin, à part la transformation, ajouta Matau.

— Ne résiste pas, Matau, répondit Vakama d'une voix sinistre. C'est notre destinée.

Avant que Matau puisse répondre, Vakama bondit de nouveau. Matau perdit pied et tomba du rebord. Mais ses réflexes Hordika vinrent à sa rescousse : il agrippa juste à temps un buste de Sidorak. Suspendu dans le vide, impuissant, il ne pouvait rien faire d'autre que de voir son attaquant avancer vers lui, prêt à régler leur conflit une fois pour toutes… et son sort du même coup.

Sidorak et Roodaka étaient penchés au-dessus de Keetongu. La bête était étendue, immobile, son armure noircie et brûlée çà et là par le pouvoir de la vice-reine. Il semblait évident qu'il ne serait jamais plus une menace pour un travailleur des Archives, et encore moins pour le chef des Visorak.

— Debout bestiole, grogna Sidorak.

Keetongu essaya de se lever. Il était trop affaibli par

les décharges et par l'impact de sa chute. Il retomba aussitôt.

— Peu importe, marmonna le roi des Visorak. Je te laisse l'achever, Roodaka.

— Comme tous les autres, quoi?

Le ton de sa voix n'avait plus rien de respectueux ni de soumis. En fait, il était franchement insolent. Sidorak se retourna et constata avec étonnement que Roodaka s'éloignait.

— Où vas-tu? demanda-t-il. Abats-le!

— Tu es le roi, Sidorak, dit-elle pour le défier. Fais-le toi-même.

Sidorak détacha son regard d'elle et le reposa sur Keetongu. Le Rahi avait finalement réussi à se remettre debout. Il était blessé, meurtri... et très, très en colère.

— Mais je ne peux pas le vaincre, gémit Sidorak dans un murmure rauque.

Roodaka sourit.

— Je le sais.

Ce fut à ce moment précis, alors qu'elle disparaissait parmi les piliers de protodermis, que Sidorak comprit enfin. Elle avait manigancé tout cela. Elle avait calculé son tir pour blesser Keetongu, pas pour le tuer, afin de laisser Sidorak à la merci de ce Rahi dément. Et pourquoi cela? Parce que, pour

Roodaka, il existait un autre moyen de prendre le contrôle de la horde, un moyen beaucoup plus rapide et beaucoup plus simple qu'un mariage de raison.

Il suffisait d'éliminer le roi.

Une ombre s'abattit sur Sidorak. Il comprit que ce n'était pas celle de Keetongu. C'était l'ombre de sa propre mort. Le sort qu'il avait réservé à tant d'autres au fil des siècles, voilà qu'il allait y goûter à son tour. Quand Keetongu leva son gros poing, Sidorak se demanda si sa vice-reine avait réalisé que, d'une certaine façon, elle agissait dans l'intérêt de la justice, un concept qu'elle méprisait pourtant.

— Roodaka, dit le roi d'une voix faible en encaissant le coup.

En guise de dernières paroles, ce n'était rien de vraiment mémorable. Mais au moment de sa mort, Sidorak avait accompli quelque chose qu'il n'avait jamais fait de sa vie : il avait reconnu le mérite, là où mérite il y avait.

Roodaka entendit le bruit du métal broyé, signe que le combat se terminait comme elle l'avait prévu. Elle était tellement absorbée par cette pensée qu'elle ne vit jamais les centaines de paires d'yeux de Visorak se plisser à la vue de sa trahison.

— Le roi est mort, dit-elle en souriant.

Son regard se porta au sommet de la flèche, là où Vakama était sur le point de sceller son sort en tuant un compagnon Toa. Une fois cela accompli, il n'y aurait plus de retour en arrière possible pour le Toa Hordika du feu. Il appartiendrait à jamais aux ténèbres.

— Vive le roi! lança Roodaka avec un sombre éclat de rire.

Matau se montrait extrêmement entêté. Il ne voulait pas abandonner la partie. Il ne voulait pas tomber et mourir. Vakama, lui, était déterminé à ce que son vieil allié succombe d'une façon ou de l'autre, et il lui importait peu de savoir laquelle. Sentant que le Toa Hordika de l'air avait besoin d'aide pour se décider, Vakama lui marcha sur les doigts.

— Tu faiblis, mon frère, siffla-t-il.

Matau grimaça de douleur, mais réussit à tenir bon.

— Tu as raison, Vakama... je suis faible. Nokama, Whenua, Onewa, Nuju... nous sommes tous faibles.

— Tu te décides enfin à voir la vérité en face.

— Ouais, j'imagine que c'est ça, répondit Matau. J'ai fait pas mal de folies-erreurs dernièrement, Vakama. C'est ce qui arrive quand on a le courage-cran de prendre des décisions. Je comprends ça, à présent.

— Pardonne-moi si je ne te crois pas, dit Vakama sans essayer de cacher son amertume.

Il leva son poing blindé en grognant :

— Maintenant, finissons-en.

— Attends! cria Matau.

Vakama s'arrêta net, à deux doigts de porter le coup final qui frapperait son ancien ami.

— Pas longtemps.

— Je veux simplement que tu saches que… je suis désolé. Désolé d'avoir toujours douté de toi… Tu vois, Vakama, c'est pour ça que nous sommes aussi faibles-médiocres. Nous avons besoin de toi.

Était-ce un éclair de lucidité qui venait de passer dans les yeux de Vakama? Un reste de son esprit Toa luttant pour percer l'épaisse couche de rage Hordika? Matau n'en était pas certain, mais il sentit qu'il avait une chance et la saisit au passage. Si Vakama le tuait, il aurait au moins la satisfaction de lui avoir dit tout ce qu'il avait à lui dire.

— Notre force Toa vient de notre unité, Vakama, s'empressa-t-il de dire. Cela signifie que, toi non plus, tu ne peux pas être fort-invincible sans nous… et ce, peu importe ce qu'un monstre au cerveau tordu comme Roodaka peut t'avoir raconté.

Le poing de Vakama se mit à trembler. Les paroles

de Matau lui ramenaient en mémoire des sentiments qu'il avait enfouis. Il lutta pour se rappeler les raisons qui l'avaient poussé à s'allier à Roodaka : il était sûr que c'étaient de bonnes raisons, mais il ne trouva que des questions. Pourquoi avait-il ressenti autant de rage, plus encore qu'il ne pouvait en attribuer à sa transformation en Hordika? Pourquoi son pouvoir de prédiction l'avait-il abandonné?

— Je suis mieux et, surtout, plus fort... quand je suis seul, dit-il.

Même à ses oreilles, les mots sonnaient faux.

— Je n'en gobe-crois pas un mot. Et je parie que toi non plus.

Matau leva de nouveau les yeux vers Vakama.

— Les choses changent... mais tu seras toujours mon ami et mon frère Toa. Et tu es plus encore que cela... Il m'aura fallu toute cette histoire pour que je le réalise-comprenne, déclara Matau en fixant Vakama dans les yeux. Tu es notre chef, Vakama. Tu es *mon* chef.

Le Toa Hordika du feu commença à baisser son poing. Il aurait voulu que Matau se taise et cesse de le troubler. Ce serait tellement facile de faire taire son bavardage. Un seul coup... et il n'y aurait plus de Matau. Pourquoi n'arrivait-il pas à le faire? Pourquoi avait-il seulement voulu le faire? Que se passait-il dans son esprit?

— Et au cas où tu l'aurais oublié, nous avons une mission à accomplir, poursuivit Matau. Une mission Toa. Une mission dont la réussite dépend de notre collaboration à tous.

— Les Matoran, répondit Vakama.

Matau pensait-il qu'il les avait oubliés? Tout ce qu'il avait fait, il l'avait fait pour...

Non. Un instant. Ça ne va pas, songea Vakama. *En quoi le fait de tuer Matau aiderait-il les Matoran? Je voulais ordonner la libération des Matoran... la libération des Toa... et voici que je suis sur le point d'en écraser un comme on écrase une luciole.*

— Je savais que ça te reviendrait, dit Matau en souriant. À mon avis, c'est d'abord pour secourir les Matoran qu'on nous a transformés en héros Toa. C'est notre destinée. Et elle est bien mieux que ce que n'importe qui d'autre pourrait t'offrir.

Par Mata Nui, pourquoi ne se tait-il pas? pensa Vakama. *Tout ce bavardage, toutes ces paroles... ça ne finit jamais.*

— Je n'ai rien demandé, lâcha le Toa Hordika du feu en affichant une mine sombre.

Matau comprit qu'il avait été trop loin, trop vite.

Pendre au-dessus du vide-néant me rend impatient, constata-t-il.

— C'est vrai-exact, dit-il à Vakama, tu n'as rien demandé. J'imagine que j'avais juste envie que tu l'entendes. Et si jamais il reste là-dedans une parcelle du héros Toa Vakama que j'ai connu, il saura quoi en faire et… il agira en conséquence.

— Matau! Non!

Quand Vakama cria, il était déjà trop tard. Le Toa Hordika de l'air avait lâché le buste de Sidorak et tombait en chute libre vers la mort, d'une façon aussi certaine que si Vakama l'avait poussé.

À cet instant, Vakama sut qu'il avait une décision à prendre. Il pouvait encore entendre Roodaka lui promettre une puissance inimaginable s'il acceptait de trahir ses compagnons Toa. Il pouvait entendre Turaga Lhikan lui dire : « Je suis fier de t'appeler mon frère, Toa Vakama ». Telles avaient été les dernières paroles que ce héros avait prononcées avant de mourir pour Metru Nui.

Matau avait raison, constata Vakama. *Je sais exactement ce que j'ai à faire.*

Nokama, Nuju, Onewa et Whenua avançaient dans les couloirs tortueux du Colisée. Leur but : la voûte souterraine dans laquelle les Matoran endormis étaient enfermés, prisonniers des sphères argentées.

— Allons, dit Nokama d'un ton pressant. Nous sommes presque arrivés.

— Les Matoran sont dans la salle suivante, dit Nuju.

Les quatre Toa Hordika se précipitèrent dans la voûte et, après avoir dépassé deux énormes piliers, ils atteignirent les supports d'entreposage. Une multitude de sphères de Matoran les entourait. Les Toa sentirent une joie triomphale les gagner à l'idée qu'ils étaient à deux doigts de compléter leur mission et ce, en dépit de tous les obstacles qu'ils avaient rencontrés.

— On a réussi! cria Onewa.

Mais Whenua, lui, n'était pas de cet avis. L'acuité de ses sens Hordika lui disait que quelque chose ne tournait pas rond. Quelque chose d'aussi étrange qu'un courant d'air dans une pièce dépourvue de toute sortie vers l'extérieur. Il frissonna quand il réalisa qu'il ne s'agissait pas d'un courant d'air... mais du souffle d'un être quelconque.

Les deux piliers (qui étaient en fait deux pattes immenses) se mirent à bouger. Le plafond se déplaça quand une créature imposante se pencha vers eux, balançant sa face monstrueuse de Kahgarak sous leur nez. Les Toa avaient déjà vu ces gardiennes Visorak d'élite auparavant, mais jamais une aussi énorme.

— C'est ça que tu appelles une réussite? demanda Whenua.

Onewa secoua la tête en disant :

— Je sens qu'on va y goûter...

La Kahgarak passa à l'attaque en poussant un cri aigu. L'instant d'après, les Toa Metru volèrent au travers du mur du Colisée pour atterrir dehors, en plein centre de l'arène. Une pluie de débris s'abattit sur eux et les emprisonna jusqu'à la taille dans un tas.

— N'étions-nous pas ici il y a un instant? demanda Nuju, encore étourdi.

Nokama leva les yeux. Des Visorak de chaque espèce convergeaient rapidement vers eux. Les Toa étaient cernés de toutes parts.

— Debout, ordonna-t-elle aux autres. Tout de suite!

Debout, dos à dos, les Toa Hordika se préparèrent

pour ce qui allait, de toute évidence, être leur dernier combat.

Matau entendit le vent siffler à ses oreilles pendant qu'il tombait en chute libre vers le sol de l'arène. Il avait parié gros en choisissant de lâcher prise et cette tentative avait tout l'air d'être vouée à l'échec.

— Quel gâchis-fiasco! marmonna-t-il. J'ai été stupide de croire que je réussirais à sauver-secourir Vakama.

— Tu l'as fait, Matau.

Le Toa Hordika de l'air leva les yeux. C'était Vakama qui avait plongé à sa suite, les bras grands ouverts.

— Vakama!

— Oui, dit le Toa Hordika du feu. Le Vakama que tu connais.

Ils tombaient tous deux dans le vide, mais c'est à peine si Matau le remarqua. Avec son frère Toa à ses côtés, il se sentait tout à coup capable de surmonter n'importe quel obstacle.

— Dans ce cas, n'hésite pas à me rendre la pareille, mon frère, dit-il. Il y a plein de héros Toa qui ont besoin d'être sauvés.

Vakama sourit.

— Parfait. J'ai justement un plan pour ça, dit-il en agrippant Matau.

— Super, répondit Matau, mais aurais-tu une idée-tactique pour nous...

Il fut interrompu par l'arrêt brutal de leur chute. Perplexe, Matau leva les yeux et vit que Vakama avait noué un fil de toile de Visorak autour de sa cheville. L'élasticité du fil avait arrêté leur plongeon sans pour autant les briser en deux morceaux, ce que Matau apprécia. Cependant, il apprécia moins la suite des événements.

Étiré au maximum, le fil de toile se rétracta d'un coup sec et envoya les deux Toa percuter avec fracas la plate-forme d'observation plus haut.

Les cinq Rahaga essayaient en vain de dénouer leurs liens. Ils avaient vu que les Toa Hordika s'apprêtaient à mener un vaillant – mais combien futile – combat contre les hordes. Ils savaient qu'une fois débarrassée des Toa, Roodaka n'aurait plus besoin d'eux comme « appât ».

— C'est inutile, dit Bomonga. Que ferait Norik?

Les autres Rahaga ne surent que répondre. C'est alors qu'une réponse leur parvint d'un endroit inespéré : juste au-dessus d'eux!

— Regardez bien, je vais vous montrer!

Les Rahaga regardèrent dans la direction d'où venait la voix et ils aperçurent leur ami qui venait vers eux, grimpé sur son disque d'énergie.

— Norik! s'écria Kualus, tout joyeux.

— Je savais que tu viendrais à notre secours! s'exclama Iruini. Pourquoi cela a-t-il été aussi long?

Norik atterrit et démonta l'extrémité de son sceptre afin d'utiliser le tranchant de sa lame pour couper les liens des Rahaga.

— Mon pilotage n'est plus ce qu'il était. Je ne suis pas vraiment un Toa, tu sais.

— Pas vraiment, approuva Bomonga.

— Maintenant, dit Norik, allons aider ceux qui le sont véritablement.

Les Rahaga atteignirent le sol de l'arène au moment même où les quatre Toa Hordika allaient succomber aux attaques répétées des Visorak.

— C'est la fin, dit Nokama, presque trop fatiguée pour soulever ses lames hydro. Puisse le Grand esprit nous accueillir.

— Besoin d'un coup de main? cria Norik.

— Ou d'une douzaine? ajouta Iruini.

— Ce ne sera pas de trop, répondit Onewa.

À vrai dire, ils avaient besoin de bien plus que de l'aide des Rahaga pour gagner le combat. Les Visorak arrivaient par vagues et, même avec l'appui de leurs nouveaux alliés, ce n'était qu'une question de temps avant que les défenses des Toa soient anéanties.

— Norik, même avec votre aide… commença Nokama.

— Je sais, noble Nokama, répondit le Rahaga. Et ça ne me fait rien.

La voix de Roodaka se fit entendre au milieu du vacarme du combat.

— Je suis ravie de voir que tu t'es résigné à perdre, Rahaga.

La vice-reine des Visorak chevauchait la Kahgarak, la horde assemblée autour d'elle. Si les Visorak n'étaient pas enchantées de suivre celle qui avait assassiné leur roi, elles ne le montrèrent pas.

Roodaka descendit de sa monture et s'adressa aux quatre Toa.

— Mais d'abord, vous avez quelque chose que je veux avoir.

— Que pourrais-tu encore nous prendre que tu n'aies déjà pris? demanda Nokama.

La vice-reine esquissa un sourire.

— Vos pouvoirs élémentaires. Terre. Pierre. Glace.

Eau. Le feu, je l'ai déjà.

Tout à coup, son sourire s'effaça.

— Une minute... Il en manque un.

Matau atterrit lourdement à ses pieds.

— Ouais. Je parie que c'est moi.

Vakama le suivit de près, prenant place à côté de Roodaka.

— Merci, Vakama, dit la vice-reine. Nous disions donc, à propos de ces pouvoirs...

Matau actionna son disque Rhotuka. Nuju, Nokama, Onewa et Whenua en firent autant.

— Tu les veux vraiment? grogna le Toa Hordika de l'air. Eh bien, prends-les!

Les cinq disques Rhotuka frappèrent Roodaka, libérant leurs pouvoirs élémentaires en furie. Elle fut ébranlée par l'assaut, mais ne succomba pas. Au lieu de cela, elle y répondit par un rire à donner froid dans le dos.

— Bon, dit Matau, qui a lancé-projeté le disque des chatouilles?

— Idiots! lança Roodaka sèchement. Vos pouvoirs ne sont rien...

Elle montra du doigt Vakama qui se tenait toujours silencieux à ses côtés et ajouta :

— ... s'ils ne sont pas unis.

Roodaka sortit une griffe en l'air et rassembla toute l'énergie maléfique qui circulait en elle.

— Puisque Vakama est déjà mon allié…

— À ce propos… dit le Toa Hordika du feu.

Roodaka fit volte-face et vit qu'il activait un disque de feu pointé directement sur elle.

— … je voulais te dire un mot, poursuivit-il.

Un court instant, une ombre de panique passa sur le visage de la vice-reine. Puis elle se ressaisit et fit un geste en direction de la horde en déclarant :

— Tu peux me vaincre, Vakama, mais tu ne peux pas les vaincre, elles toutes. Abats-moi et elles t'abattront à ton tour, toi et tes amis. Penses-y.

— J'y ai pensé, répondit Vakama. Et puisque tu as su convaincre Sidorak de me nommer commandant de la horde…

Il se tourna vers les légions d'araignées rassemblées et leur dit :

— Vous toutes, sortez d'ici. Vous êtes libres. C'est un ordre!

Pendant une fraction de seconde, la situation parut incertaine. Depuis des années, les Visorak avaient été conditionnées pour suivre aveuglément les ordres de leur chef. Sidorak les avait guidées de conquête en conquête et, maintenant qu'il était mort, il revenait à

Roodaka de lui succéder. D'ordinaire, les Visorak ne s'attaquaient jamais à leur chef, même sur ordre de leur commandant. Mais trop d'entre elles avaient vu Roodaka pousser Sidorak vers la mort… et la trahison ne pouvait pas – ne devait pas – être récompensée par la loyauté. Sans accorder un seul regard à la vice-reine, la horde se dispersa, laissant Roodaka seule, de la même façon qu'elle avait abandonné leur roi.

— Traîtres! leur cria Roodaka.

— On ne peut pas trahir quelqu'un dont on est l'esclave, fit remarquer Vakama.

— Et dire que j'ai pensé que tu avais l'étoffe d'un roi, ricana-t-elle.

— Je ne dirige que ceux qui ont choisi de me suivre, répliqua Vakama. C'est la différence entre un chef et un dictateur. Un certain Toa m'a appris cela. Et autre chose aussi… Notre destinée n'est pas gravée dans le roc, immuable. C'est quelque chose que nous devons découvrir par nous-mêmes.

Son disque s'éleva et plana dans l'air.

— J'ai trouvé la mienne.

Tout se passa à la vitesse de l'éclair. Juste avant que le disque soit lancé, Roodaka ouvrit une plaque de son armure qui cachait une pierre toute noire. Voyant cela, Norik se précipita vers Vakama en s'écriant :

— Non, Vakama! Ne fais pas ça!

Il était trop tard. Le disque de Vakama franchit la courte distance qui le séparait de Roodaka et la toucha. Le pouvoir de Vakama, combiné avec ceux qu'elle avait déjà reçus des autres Toa, provoqua une réaction en chaîne. Il y eut une explosion dégageant une lumière si vive qu'ils furent tous aveuglés. Quand l'éblouissement se fut estompé, Roodaka n'était plus là. Seuls des fragments de la pierre attestaient son passage.

— Vakama, tu n'as pas idée de ce que tu viens de faire, dit Norik.

— Sa pierre de cœur, répondit Vakama.

— Oui, arrachée à la cellule de protodermis dans laquelle vous aviez emprisonné Makuta. En la détruisant, tu en as brisé le sceau…

— … et ainsi libéré Makuta, conclut le Toa Hordika du feu.

Il regarda ses frères et sa sœur à nouveau réunis, sains et saufs, puis il ajouta :

— On dirait qu'il ne me fait plus peur à présent.

Vakama se retourna quand un impact au sol se fit entendre derrière lui. Keetongu était là, épuisé de ses combats contre Sidorak et Roodaka. Les Toa Hordika se rassemblèrent autour du Rahi.

— Tu ne me dois rien, Keetongu, surtout si on tient compte de tout ce que tu as déjà accompli, dit Vakama, mais il est de mon devoir de te demander… Vas-tu nous redonner notre ancienne apparence?

Keetongu répondit dans sa langue. Norik traduisit :

— Il demande pourquoi, puisque que vous êtes maintenant en paix avec la bête qui vit en vous. Vous seriez peut-être même meilleurs…

— Nous devons être tels que nous étions pour remplir une promesse que nous avons faite, répondit Vakama.

— Dans ce cas, vous le serez, dit Keetongu.

Vakama leva son poing. Les cinq autres Toa Hordika l'imitèrent, formant une fois de plus un cercle de six.

— Allez, grand gaillard, dit Matau à Keetongu, joins-toi à nous.

Keetongu invoqua son pouvoir unique et fit déferler son énergie en une grosse vague qui enveloppa les corps transformés des Toa Hordika. Les Rahaga regardèrent la scène en silence, implorant le Grand esprit pour que tout se passe bien une fois encore.

La porte de la voûte des Matoran s'ouvrit à nouveau. Cette fois, ce furent des Toa Metru et non des Toa Hordika qui en franchirent le seuil.

— Debout, mes amis, dit Vakama en jetant un coup d'œil à la multitude de sphères. Nous rentrons à la maison.

Il fallut plusieurs heures de travail aux Toa, aux Rahaga et à Keetongu pour retirer les sphères de la voûte. Elles furent ensuite chargées sur les dirigeables que les Toa avaient construits spécialement alors qu'ils étaient encore des Hordika.

— Jolis vaisseaux, commenta Matau en admirant son propre travail.

— Tâche de ne pas les abîmer, cette fois, répliqua Onewa, moqueur.

Près d'eux, Vakama et Norik se tenaient côte à côte. Le Toa Metru du feu contempla longuement sa cité, sachant qu'il pourrait bien s'écouler des années avant qu'il y remette les pieds.

— Je crois bien que c'est fini, dit-il.

— Non, Vakama, dit Norik. C'est simplement un autre début.

— Le début de quoi?

Norik sourit.

— Je ne voudrais pas te dévoiler la surprise.

— Quoi qu'il en soit, je vous remercie tous.

— Il n'y a pas de quoi, Vakama, répliqua le Rahaga.

En fait, ce serait plutôt à moi de te remercier.

— Je ne comprends pas.

Norik afficha un large sourire.

— Ce n'est pas tous les jours qu'on a la chance de rencontrer une légende, tu sais.

Le Toa du feu hocha la tête en direction de Keetongu.

— Oui, c'est vrai qu'il est plutôt impressionnant.

— En effet, répondit le Rahaga, mais je ne parlais pas de Keetongu.

Il fallut un moment à Vakama pour comprendre le sens des paroles de Norik. Le Rahaga avait raison : ce qu'ils venaient d'accomplir ferait désormais partie de la légende.

— Le Grand sauvetage, dit Vakama.

— C'est drôle, nota le Rahaga. On passe sa vie à poursuivre un but, et, au moment où on l'atteint, on découvre que la poursuite était finalement plus importante que tout. Que c'est elle qui nous a changé. Qu'on ne sera jamais plus exactement le même.

Vakama approuva.

— Je crois que j'ai changé, moi aussi.

Norik posa sa main sur l'épaule cuirassée du Toa.

— Et en faisant cela, tu nous as permis, à nous les Rahaga, d'être qui nous sommes… tout en sachant que le nouveau monde et ses Matoran sont désormais en bonnes mains. Ce qui signifie que la dernière fois où je ferai ce geste, ce sera pour dire merci, conclut Norik en levant son poing pour effectuer le salut des Toa. J'aime ça.

— Moi aussi, dit Vakama en cognant son poing contre celui du Rahaga.

La petite flotte de vaisseaux avait décollé et se dirigeait vers la mer. Les secousses qui avaient suivi le séisme causé par Makuta avaient agrandi l'ouverture de la Grande barrière et Vakama était d'avis qu'on y trouverait peut-être de nouveaux tunnels menant à la surface. Pour changer, personne n'avait émis d'objection.

À bord du vaisseau de tête, Nokama, Vakama et les autres Toa regardaient la cité en contrebas.

— Est-ce qu'elle va te manquer? demanda la Toa de l'eau.

Vakama baissa les yeux et vit les Rahaga et Keetongu installés sur la plate-forme d'observation du Colisée, suivant du regard le lent passage des vaisseaux.

— Certaines choses, oui, répondit-il.

Quand ils approchèrent de la Grande barrière,

Onewa désigna les rochers tout en bas et s'écria, d'un ton inquiet :

— Makuta! Il est parti!

Vakama vit qu'il avait raison. La prison de protodermis était fracassée et le maître des ténèbres avait disparu.

— Pas pour longtemps, dit-il. J'ai l'impression qu'on va bientôt le revoir.

— Et que ferons-nous alors?

— Nous trouverons un moyen de le vaincre, dit Vakama en dirigeant le vaisseau vers l'ouverture de la Grande barrière. Car tel est le devoir des Toa.

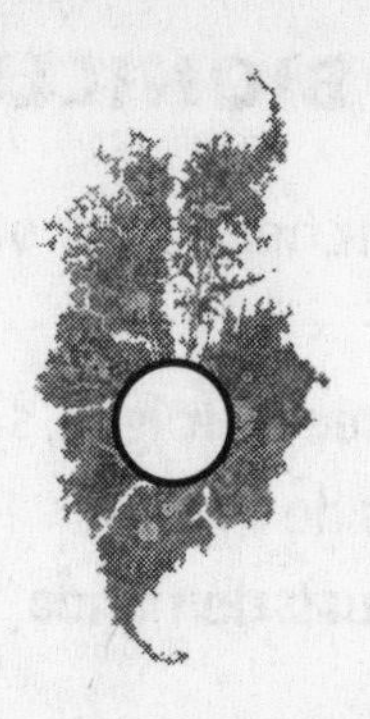

ÉPILOGUE

« Car tel est le devoir des Toa. »

C'est en ces mots que Turaga Vakama termina son récit. D'un seul mouvement souple de la main, il ramassa les pierres du Cercle d'Amaja. Tahu Nuva remarqua avec quel soin il tenait la pierre noire représentant Makuta, le seul fragment qui restât de l'ancienne prison de ce personnage.

— J'avais raison, dit le Turaga. Makuta allait nous suivre jusqu'ici et menacer de plonger notre nouveau monde, ainsi que tous ceux qui s'y sentaient chez eux, dans les ténèbres éternelles.

Jaller, toujours pris par le récit, ne put s'empêcher de demander :

— Et ensuite?

Vakama sourit.

— Je crois que tu connais déjà cette histoire, Jaller.

Allez, viens à présent, assez de vieilles légendes pour aujourd'hui.

Le Turaga se leva et s'éloigna, suivi des Toa Nuva, de Takanuva, de Jaller et de Hahli.

— Où allons-nous? demanda la chroniqueuse Ga-Matoran.

— En créer de nouvelles, répondit le héros de Metru Nui.

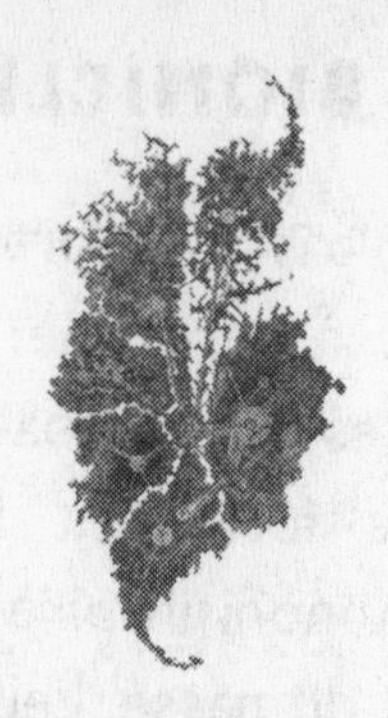

ANNEXE : L'ORIGINE DES RAHAGA

Tiré des *Chroniques de Takua*, tel que raconté par Turaga Vakama :

Alors que nous nous préparons à effectuer notre voyage de retour vers la cité de Metru Nui, je ne peux m'empêcher de songer aux Rahaga. Je me demande s'ils sont toujours sur ma terre natale ou s'ils ont poursuivi leur chemin pour continuer leur travail en d'autres lieux. Ils font partie des êtres les plus sages et les plus courageux que j'ai rencontrés. Sans leur aide, ni moi, ni mes compagnons Turaga, ni les Matoran qui habitent Mata Nui aujourd'hui, aucun de nous ne serait vivant.

Rahaga Norik parlait peu de son passé. Par chance, Rahaga Iruini était plus bavard. C'est lui qui a raconté à Matau que les Rahaga avaient autrefois été des Toa sur une autre terre… et pas n'importe quels Toa. Revêtus d'une armure forgée à partir de métaux précieux et arborant à la fois des outils Toa et des lanceurs de disques Rhotuka, ils formaient l'élite. Tous les six avaient un masque Kanohi inspiré des formes portées par les grands héros du passé. Leur devoir : veiller sur Makuta qui avait fait la promesse de protéger et de défendre tous les Matoran.

Ils s'acquittèrent de leur tâche avec brio et noblesse. Aussi ironique que cela puisse paraître, ils furent souvent appelés à défendre Makuta contre les attaques des Rahi (car un être aussi puissant ne s'abaissait pas à combattre les bêtes). Croyant avoir affaire à un honorable serviteur de la volonté de Mata Nui, Norik et ses Toa n'hésitèrent jamais à lui venir en aide.

Mais la vérité finit par éclater au grand jour et les Toa furent confrontés à une horrible réalité : Makuta et la confrérie qu'il dirigeait ne protégeaient pas les Matoran. Ils les opprimaient et les réduisaient en esclavage. Même les masques puissants que Norik et ses compagnons portaient avaient été fabriqués par des Matoran travaillant sous la menace de punition, voir de sévices pires encore. De plus, la Confrérie de Makuta s'était alliée avec une bande de mercenaires corrompus, connue sous le nom de Chasseurs de l'ombre. Ils convertirent les mécanoïdes Exo-Toa, ces robots construits à l'origine pour assurer la garde des Matoran, en des sentinelles pour garder leurs propres forteresses.

Assoiffés de justice et de vengeance, les Toa planifièrent une attaque sur une des bases de la confrérie. Devant eux se tenaient les Chasseurs de l'ombre et des Exo-Toa prêts à tout sacrifier pour servir leurs sombres maîtres. S'étant dispersés pendant le combat, les Toa tombèrent un à un, mais pas aux mains de ces ennemis. Ils furent plutôt capturés par Roodaka, qui menait dans l'ombre des attaques déloyales.

À la fin, il ne resta plus que Norik et Iruini. Grâce à la finesse de leur stratégie et au courage infini de leurs actes, ils réussirent à faire fuir les Chasseurs de l'ombre et à détruire la plupart des Exo-Toa. Makuta leur livra combat dans une impasse jusqu'à ce que lui aussi quittât le champ de bataille, gravement affaibli. Les deux Toa se mirent alors en quête de leurs compagnons.

Ils les trouvèrent… rapetissés, affaiblis et transformés en monstrueuses caricatures de Turaga. Dans un geste qu'elle avait sans doute considéré comme très généreux, Roodaka les avait transmués, leur attribuant des têtes de Rahkshi et des corps tellement tordus qu'ils épouvanteraient quiconque les rencontrerait. Elle s'était dit que tous les Matoran fuiraient à leur approche. Dès lors, leur vie de héros serait bel et bien terminée.

En recourant à la ruse, Norik et Iruini parvinrent à secourir leurs amis, mais ils furent découverts par Sidorak et Roodaka, qui les frappa de ses disques de mutation. Étrangement, elle leur permit ensuite de fuir, probablement convaincue qu'ils ne seraient plus jamais un danger pour elle. Ceux qui avaient été jadis six puissants Toa étaient à présent des Rahaga.

Au début, ils furent gravement affectés par la mutation. Puis Kualus et Norik réussirent à raisonner les autres.

« Nos corps ont changé, leur dit Kualus, mais pas nos cœurs ni nos esprits. Peu importe notre apparence, chaque fois que nous respirons, nous le faisons à titre de héros au service de Mata Nui. »

Norik leur donna un nouveau but : trouver Keetongu, un Rahi mythique réputé pour être capable de neutraliser les effets de toute attaque. Il pourrait bien être leur seul espoir de vaincre Sidorak et Roodaka. Certains, comme Iruini, doutaient que ce

Rahi ait jamais existé. Tous acceptèrent néanmoins de suivre Norik, sachant que l'unité était essentielle à leur survie.

Par la suite, les Rahaga errèrent d'île en île, cherchant Keetongu et étudiant les habitudes des Rahi. À maintes reprises, leurs efforts les entraînèrent dans des conflits avec les hordes de Visorak et leur intervention sauvèrent de nombreuses bêtes de la mort. Sidorak s'était promis de les éliminer, alors que Roodaka se demandait plutôt si elle ne pourrait pas les utiliser pour servir ses propres fins.

Enfin, les Rahaga se retrouvèrent un jour à Metru Nui. Sachant que les Visorak finiraient inévitablement par aboutir dans la Cité des légendes, ils se cachèrent dans les Archives. Ils furent témoins du retour de Makuta, leur ancien ennemi, et le virent avec horreur détruire la cité. Ils assistèrent aux vaillants efforts des Toa Metru qui menèrent à sa défaite. Et ils virent ensuite avec frayeur les héros fuir la cité, la laissant sans défense aux mains de la horde des Visorak.

Quand les Toa revinrent enfin, les Visorak contrôlaient déjà Metru Nui. Puis les Toa tombèrent dans un piège et furent transformés en Toa Hordika. Dès lors, les Rahaga ne purent attendre plus longtemps. Au risque d'être découverts par Sidorak, ils se portèrent à notre secours. Ils nous ouvrirent les yeux sur la réalité et nous donnèrent la volonté de combattre.

Alors, Takua, qu'ils attendent encore notre retour à Metru Nui ou pas, ils méritent qu'on se souvienne d'eux comme ayant été les plus grands de tous les Toa.